ALFRED MILL

TUDO O QUE VOCÊ PRECISA SABER SOBRE
ECONOMIA

ADAM SMITH * KARL MARX * JOHN MAYNARD KEYNES * JEAN-BAPTISTE SAY EDMUND PHELPS * MILTON FRIEDMAN ARTHUR OKUN * A.W. PHILLIPS

TRADUÇÃO: LEONARDO ABRAMOWICZ

Gente
editora

Diretora
Rosely Boschini

Gerente Editorial
Marília Chaves

Assistente Editorial
Juliana Cury Rodrigues

Controle de Produção
Karina Groschitz

Tradução
Leonardo Abramowicz

Preparação
Entrelinhas Editorial

Capa
Alexandra Artiano

Imagens de Capa
Clipart.com e Shutterstock/ LHF Graphics

Diagramação e Adaptação de Capa
Entrelinhas Editorial

Revisão
Vero Verbo Serviços Editoriais

Este livro foi impresso pela Gráfica Bartira em papel lux cream 70g em outubro de 2024.

Título original: *Economics 101*
Copyright © 2016 by F+W Media, Inc.
Publicado por acordo com Adams Media, uma divisão da F+W Media, Inc. Company, 57 Littlefield Street, Avon, MA 02322, USA.

Todos os direitos desta edição são reservados à Editora Gente.

R. Dep. Lacerda Franco, 300 – Pinheiros
São Paulo, SP – CEP 05418-000
Telefone: (11) 3670-2500
Site: www.editoragente.com.br
E-mail: gente@editoragente.com.br

Dados Internacionais de Catalogação na Publicação (CIP)
Angélica Ilacqua CRB-8/7057

Mill, Alfred
  Tudo o que você precisa saber sobre economia / Alfred Mill ; tradução de Leonardo Abramowicz. – São Paulo : Editora Gente, 2017.

  ISBN 978-85-452-0169-4
  Título original: Economics 101.

  1. Economia I. Título II. Abramowicz, Leonardo

17-0588   CDD 330

Índice para catálogo sistemático:
1. Economia 330

SUMÁRIO

INTRODUÇÃO 5

O QUE É ECONOMIA?...7
TROCAS E CUSTO DE OPORTUNIDADE 11
O SURGIMENTO DO LIVRE-COMÉRCIO E A IMPORTÂNCIA DA
VANTAGEM COMPARATIVA..15
COMÉRCIO INTERNACIONAL E BARREIRAS COMERCIAIS 20
ECONOMIAS TRADICIONAIS, PLANIFICADAS E DE MERCADO.........25
CAPITALISMO *VERSUS* SOCIALISMO..29
ESCAMBO E DESENVOLVIMENTO DO DINHEIRO..........................33
ANÁLISE SOBRE A MOEDA FIDUCIÁRIA INCONVERSÍVEL 37
O VALOR DO DINHEIRO NO TEMPO E AS TAXAS DE JUROS 41
A ORIGEM DOS BANCOS 44
COMO OS BANCOS CRIAM DINHEIRO 47
OS BANCOS COMO UM SISTEMA: REGULAMENTAÇÃO E
DESREGULAMENTAÇÃO 50
OFERTA E PROCURA: MERCADOS 54
OFERTA E PROCURA: COMPORTAMENTO DO CONSUMIDOR 58
OFERTA E PROCURA: NASCE O PREÇO 62
MUDANÇAS NA OFERTA E NA PROCURA 65
CONTABILIDADE *VERSUS* ECONOMIA.......................................69
A FUNÇÃO PRODUÇÃO...72
CONTROLE DE CUSTOS 75
CONCORRÊNCIA PERFEITA NO CURTO PRAZO...........................78
CONCORRÊNCIA PERFEITA NO LONGO PRAZO 81
OLIGOPÓLIOS E MERCADOS DE CONCORRÊNCIA IMPERFEITA 84
CONLUIO E CARTÉIS 87
TEORIA DOS JOGOS 90
COMPORTAMENTOS DOS PREÇOS 93
MONOPÓLIO: O BOM, O RUIM E O HORRÍVEL 97
GOVERNO NO MERCADO: TETOS E PISOS DE PREÇOS..............101
GOVERNO NO MERCADO: IMPOSTOS E SUBSÍDIOS...................104
FALHAS DE MERCADO..107
MERCADOS FINANCEIROS E TEORIA DOS FUNDOS DE
EMPRÉSTIMO 111
O MERCADO MONETÁRIO 114

O MERCADO DE TÍTULOS	117
O MERCADO DE AÇÕES	122
CÂMBIO E TAXAS DE CÂMBIO	126
EXPORTAÇÕES E BALANÇA COMERCIAL	131
RESERVAS OFICIAIS E POLÍTICA CAMBIAL	135
O SETOR PRIVADO E O SETOR PÚBLICO	138
O SETOR FINANCEIRO E OS MERCADOS FINANCEIROS	143
O PRODUTO INTERNO BRUTO	146
PIB: GASTOS E INVESTIMENTOS PRIVADOS	149
PIB: GASTOS DO GOVERNO E EXPORTAÇÕES	152
ABORDAGENS DO PIB	155
MUDANÇAS NO PIB REAL E CICLO ECONÔMICO	158
O QUE O PIB NÃO NOS CONTA	161
DEFINIÇÃO DE DESEMPREGO	164
CLASSIFICAÇÕES DE DESEMPREGO	167
POR QUE O DESEMPREGO É RUIM	172
DEFINIÇÃO DE INFLAÇÃO	175
TIPOS DE INFLAÇÃO	179
INFLAÇÃO: GANHADORES E PERDEDORES	183
DESINFLAÇÃO E DEFLAÇÃO	186
DEMANDA AGREGADA E OFERTA AGREGADA	189
EQUILÍBRIO MACROECONÔMICO	193
VISÃO KEYNESIANA E POLÍTICA FISCAL	196
O SISTEMA DO BANCO CENTRAL NORTE-AMERICANO (FEDERAL RESERVE)	201
POLÍTICA MONETÁRIA	205
ECONOMIA DO LADO DA OFERTA	209
CRESCIMENTO ECONÔMICO	213
CONDIÇÕES PARA O CRESCIMENTO ECONÔMICO	216
COMO A POLÍTICA ECONÔMICA AFETA O CRESCIMENTO	220
A GRANDE DEPRESSÃO ENCONTRA A GRANDE RECESSÃO	225
O COLAPSO DOS BANCOS DE INVESTIMENTO	229
POLÍTICA FISCAL EM XEQUE	232
O MEIO AMBIENTE E A ECONOMIA	236

INTRODUÇÃO

POR QUE É IMPORTANTE ENTENDER A ECONOMIA

Você tem ideias preconcebidas sobre economia? Você quer saber como a economia funciona, mas acaba caindo no sono? Você quer aprender mais, porém se perde com a linguagem técnica, árida e "toda essa conversa sobre dinheiro"?

Em *Tudo o que você precisa saber sobre economia* você descobrirá que a economia não precisa ser chata. Na verdade, estudar esse assunto o faz ver o mundo de uma forma que nunca havia pensado antes. A economia permite fazer conexões entre aspectos aparentemente díspares, como a taxa de desemprego e a tendência de, no dia dos pais, presentear com peças íntimas. Além disso, você entenderá melhor o mundo. Quando as taxas de juros mudarem, você será capaz de prever as ramificações. Uma discussão importante sobre ações, títulos, fundos mútuos e obrigações de dívida colateralizada não soará mais como se alguém estivesse conversando em grego com você. Embora este não seja um livro de finanças pessoais, os princípios de economia descritos aqui o ajudarão a deixar sua situação financeira em ordem.

Na economia, as expectativas tornam-se realidade e o dinheiro é apenas uma construção social. Isso não é chato; é arrebatador! Depois de ler *Tudo o que você precisa saber sobre economia*, você conhecerá melhor e amará conceitos como diminuição da utilidade marginal e o novo favorito do mundo todo, a flexibilização quantitativa. Trabalhar em torno dessas ideias o ajudará a compreender melhor a economia ao seu redor e o comportamento das pessoas em questões que envolvam dinheiro (dica: nem sempre é de forma racional!). Você pode até mesmo fazer um bom uso das informações ao ensinar seu chefe a controlar custos variáveis e sobre a maximização de lucros. Taxas de câmbio e fluxos de poupança serão como brincadeira de criança; capital e investimento terão um significado completamente novo; e construir um IPC e deflacionar o PIB nominal será algo absolutamente natural para você. Seu primo poeta *hippie* que mora em uma Kombi e toca violão ficará impressionado quando você lhe explicar por que tecnicamente ele não é um desempregado.

A economia não trata apenas da definição de termos abstratos como alguns que já mencionei. Na verdade, a economia é um exercício de filosofia! Ou seja, ela afeta todos os aspectos de sua vida e influencia tudo o que você faz. Isso mesmo, tudo! A economia ensina que nada é de graça. Os custos estão envolvidos em cada escolha, mesmo que esta não pareça ter nenhuma relação com dinheiro.

A economia não é algo feito por grupos anônimos em algum lugar longe de casa. Todas as decisões econômicas são tomadas por indivíduos. As pessoas assumem o custo dessas decisões. Sim, você também. A economia é pessoal. Não são eles que fixam os preços. *Nós* é que estabelecemos os preços.

Depois de ler *Tudo o que você precisa saber sobre economia*, você saberá por que o mundo funciona de determinada forma. Aqui, você aprenderá coisas como:

- Por que você pode possuir demais de uma coisa boa (a utilidade marginal é decrescente).
- Por que o desemprego designado por qualquer outro nome provavelmente não é desemprego.
- Por que algo que é verdade em longo prazo pode não ser verdade no curto prazo.
- Por que os formuladores de políticas que gerenciam as expectativas podem administrar a realidade.
- Por que, entre inflação e deflação, você deve escolher a inflação.
- Por que as pessoas são melhores que os governos para administrar as próprias finanças.

Pronto para começar a explorar o mundo maravilhoso da economia? Vamos lá!

O QUE É ECONOMIA?

Iluminando a "ciência sombria"

Você abre a porta da geladeira, olha para os alimentos dentro dela e declara: "Não há nada para comer nesta casa". Mais tarde, você entra no closet cheio de roupas e pensa: "Não tenho nada para vestir". Você está diante da escassez. Você nunca tem o suficiente do que precisa ou quer. O fato é que você tem muita coisa para comer e muitas roupas para vestir. Você escolheu ignorar as opções naquele momento e lugar, mas no final sabe que cederá e comerá a maçã perto das uvas enrugadas no fundo da gaveta e, depois, vestirá a camisa e a calça que odeia. Você é uma criatura da economia. Diante da escassez, olha para as opções, avalia e, em seguida, escolhe.

ESTUDO DA ESCASSEZ

A economia é o estudo de como indivíduos, instituições e sociedade escolhem lidar com a condição de escassez. É fascinante ver como as pessoas reagem à escassez. Algumas criam planos e sistemas complexos para garantir que todos recebam a sua parcela justa de recursos escassos. Outras inventam soluções à medida que avançam. Todo mundo pratica a economia diariamente. Desde um indivíduo isolado até a maior sociedade do planeta, todos estão constantemente envolvidos na luta para sobreviver, equilibrar o orçamento e até mesmo prosperar, dada a relativa escassez que enfrentam.

Filha da filosofia

A economia existe há muito tempo, embora nem sempre tenha sido conhecida por esse nome. Os filósofos estudavam escassez e escolha muito antes de chamarmos a área por esse nome. O pai da economia moderna, Adam Smith, era considerado um filósofo moral, não um economista.

As pessoas que estudam essas escolhas são economistas. O campo da economia é enorme, pois há uma gama imensa de escolhas. Alguns economistas estudam a tomada de decisão de indivíduos e instituições;

outros estudam como os países lidam com a escassez. Os economistas desenvolvem teorias para explicar o comportamento de tudo o que estudam. Algumas dessas teorias são então testadas contra dados do mundo real ou, por vezes, são postas em prática sem nunca passar por um teste. Os economistas trabalham para universidades, instituições financeiras, grandes corporações e governos.

MICROECONOMIA

O campo da microeconomia concentra-se na tomada de decisão de indivíduos e empresas. A microeconomia está principalmente preocupada com os mercados de bens, serviços e recursos. Os mercados são fundamentais para compreender a microeconomia. Sempre que compradores e vendedores se reúnem para trocar recursos, bens ou serviços, um mercado é criado e o comportamento deles é de especial interesse para os economistas. Eles funcionam de forma eficiente? Seus participantes têm acesso a informações adequadas? Quem e quantos participam do mercado? Como as decisões tomadas em um mercado influenciam as decisões em um mercado conexo?

MACROECONOMIA

A macroeconomia é o estudo de como países inteiros lidam com a escassez. Os macroeconomistas analisam os sistemas que as nações criam ou permitem para a alocação de bens e serviços. As perguntas feitas por eles são variadas e de grande interesse tanto para os indivíduos quanto para os formuladores de políticas:

- Como você mede a economia?
- Por que existe o desemprego?
- Como as mudanças na quantidade de dinheiro afetam toda a economia?
- Qual o impacto dos gastos do governo ou da política fiscal sobre a economia?
- Como fazer a economia crescer?

ESCASSEZ

Sem escassez não haveria necessidade de estudar a economia. Aliás, se a escassez não existisse, não haveria necessidade deste livro. No entanto, você não tem essa sorte. A escassez é uma condição universal que existe porque não há tempo, dinheiro ou bens suficientes para satisfazer as necessidades ou os desejos de todos. Aquilo que todo mundo quer é feito com recursos. Em um esforço para fazer a economia parecer mais "teórica", os recursos são chamados de fatores de produção. Os fatores de produção incluem terra, trabalho, capital e empreendedorismo.

Pode exstir escassez em uma terra de abundância?

A escassez existe para todos. De ricos a pobres, todos enfrentam essa situação. Certamente, a escassez na América do Norte parece diferente da escassez na Somália. Nos Estados Unidos há muita comida e água potável, mas na Somália ambos estão faltando. A escassez não é apenas uma função de recursos limitados, mas também de desejos ilimitados, e isso é algo que tanto a América do Norte quanto a Somália compartilham.

- A terra inclui todos os recursos naturais e não apenas alguma porção aleatória de terreno. Árvores, depósitos minerais, peixes no oceano, água subterrânea e a terra propriamente dita estão todos incluídos. A terra pode ser dividida em recursos naturais renováveis e não renováveis. Os recursos renováveis, como pinheiros e galinhas, são facilmente repostos. Os recursos não renováveis, como petróleo e bacalhau do Atlântico, são difíceis de repor. O pagamento pela terra é chamado de arrendamento.
- O trabalho ou mão de obra refere-se às pessoas, com suas habilidades e capacidades. O trabalho é dividido em não qualificado, qualificado e profissional. O trabalho não qualificado refere-se a pessoas sem treinamento formal que recebem salários para executar tarefas repetitivas, como preparar hambúrgueres ou trabalhar na produção em linhas de montagem. O trabalho qualificado refere-se a pessoas que recebem salários por aquilo que sabem e pelo que podem fazer. Soldadores, eletricistas, encanadores,

mecânicos e carpinteiros são exemplos de trabalhadores qualificados. Os trabalhadores profissionais recebem salários por aquilo que sabem. Médicos, advogados, engenheiros, cientistas, professores etc. estão incluídos nessa categoria.
- Na economia, capital não se refere a dinheiro, mas a todas as ferramentas, fábricas e todos os equipamentos utilizados no processo de produção. O capital é o produto do investimento. Pare. Isso não está confuso demais? Até agora você provavelmente viveu uma vida feliz pensando que capital era dinheiro e que investir é o que você faz no mercado de ações. Bem, sinto muito. Capital é a coisa física utilizada para fazer outras coisas, e investimento é o dinheiro gasto na compra dessa coisa. Para fazer capital você precisa ter capital. Como o capital é sempre adquirido com dinheiro emprestado, ele incorre em um pagamento de juros.

O dinheiro fala mais alto

Alocação

Os economistas descrevem a distribuição dos recursos certos para as pessoas certas como alocação. A eficiência alocativa ocorre quando o benefício marginal iguala o custo marginal. Quando essa condição é alcançada, ocorre o maior benefício para a sociedade.

TROCAS E CUSTO DE OPORTUNIDADE

Fazer uma suposição tirando você e eu

Sempre que você utilizar um fator de produção, um custo será incorrido. Por quê? Os fatores de produção são limitados, não ilimitados. Consequentemente, sempre que você escolhe utilizar terra, trabalho, capital ou empreendedorismo para uma finalidade, perde a capacidade de utilizá-los para outra. Considere um recurso como trabalho – o seu trabalho. Digamos que você possa passar uma hora escrevendo um livro, dando aula ou tecendo uma rede. As escolhas com as quais você se depara são chamadas trocas (*trade-offs*). Suponha que você escolha tecer uma rede. Você não poderá dar uma aula ou escrever um livro nesse período de tempo. Se escrever um livro for sua próxima melhor alternativa, então os economistas diriam que o custo de oportunidade de passar uma hora tecendo uma rede é a hora que você poderia ter passado escrevendo um livro. Custo de oportunidade é o próximo melhor uso alternativo de um recurso.

Custos implícitos e explícitos

O custo de oportunidade é por vezes chamado de custo implícito. Em qualquer atividade produtiva existem custos explícitos como mão de obra, matérias-primas e despesas gerais, que são facilmente calculados, e há os custos implícitos, que são mais difíceis de avaliar.

ANÁLISE DO CUSTO DE OPORTUNIDADE

Por exemplo, suponha que seja uma bela manhã de sexta-feira e você pense: "Eu poderia ir trabalhar, como deveria, eu poderia ficar em casa dormindo o dia todo ou poderia pegar um avião para Cozumel e passar o dia na praia ou praticando um pouco de mergulho". Suponha que você tenha optado por viajar para Cozumel, mas ir ao trabalho seja sua próxima melhor alternativa. Qual foi o custo de sua viagem? Você pagou o táxi até o aeroporto, a passagem de avião, um pacote de hotel com tudo incluso e um mergulho no Palancar Reef. Esses foram os seus únicos custos? Não. Você também sacrificou o dinheiro que poderia ter ganhado trabalhando. O custo de oportunidade é uma chatice. Assim, procure sempre levá-lo em conta ao tomar uma decisão.

ANÁLISE MARGINAL

Os economistas gostam de pensar nas pessoas como pequenos computadores que sempre calculam o custo-benefício de suas decisões. Como você geralmente toma uma decisão de cada vez, os economistas referem-se ao benefício de uma decisão como benefício marginal. O benefício marginal pode ser medido em reais ou *utils*, o que você preferir. *Utils* designam a quantidade de utilidade ou felicidade que você obtém por fazer algo. E podem ser convertidos facilmente em reais.

Digamos que você goste de nadar dando voltas na piscina por uma hora. Quantos *utils* você recebe pelas voltas que nadou? Quanto você teria de receber para não nadar? Se o seu amigo lhe oferecesse quantias cada vez maiores para não nadar na piscina, então seria provavelmente correto assumir que a quantia em reais que você aceitaria para não nadar na piscina é pelo menos igual à quantidade de felicidade ou utilidade que você teria recebido se nadasse. Se forem necessários 20 reais para você parar de nadar, então o valor da natação para você não é superior a 20 reais. Nadar vale 20 *utils* para você.

O custo marginal é um conceito relacionado. O custo marginal é simplesmente o que custa para produzir ou consumir uma unidade extra de qualquer coisa que você esteja produzindo ou consumindo. Volte ao exemplo da natação. Suponha que nadar na piscina tenha um custo marginal de 5 reais. Se você ganha 20 *utils* para nadar, pagaria, então, 5 reais para ganhar o equivalente a 20 reais de benefício? Claro que pagaria. Agora suponha que nadar na piscina custe 20,01 reais. Você gastaria 20,01 reais para ganhar o equivalente a 20 reais de benefício? Provavelmente não. Os economistas concluem que você nadará desde que o benefício marginal supere ou iguale o custo marginal. Em seu caso, isso significa que você nadará desde que o custo marginal seja menor ou igual a 20 reais. Se o benefício marginal superar o custo marginal, você provavelmente o fará. Se o benefício marginal for menor que o custo marginal, você provavelmente não o fará. Se o benefício marginal for igual ao custo marginal, isso significa que para você é indiferente.

PRESSUPOSTOS EM ECONOMIA

Os economistas formulam determinados pressupostos quando falam sobre seu assunto favorito. Eles esperam que você conheça (e concorde com) esses pressupostos. Os maiores são:

1. Nada mais mudar. Sempre que os economistas apresentam um argumento, como "Se diminuírem os impostos sobre o rendimento, então o consumo aumenta", isso deve ser entendido como: "Se diminuírem os impostos sobre o rendimento e nada mais mudar, então o consumo aumenta". Você entendeu a diferença entre as duas afirmações? *E nada mais mudar* é também chamado de hipótese *ceteris paribus*. Em tradução livre, *ceteris paribus* significa "manter tudo o mais constante". Portanto, durante a leitura deste livro, lembre-se de que todas as afirmações sobre relações de causa e efeito são feitas com o pressuposto *ceteris paribus*.
2. As pessoas são racionais. Outra suposição feita pelos economistas, e das grandes, é de que as pessoas se comportam racionalmente. Os economistas assumem que as escolhas são feitas levando em consideração todas as informações disponíveis, assim como os custos e os benefícios dessas escolhas. Além disso, eles assumem que as escolhas fazem sentido. O pressuposto de que as pessoas se comportam racionalmente está sujeito a debate entre diferentes escolas de pensamento econômico, mas, para a maioria das decisões econômicas, trata-se de uma hipótese útil.
3. As pessoas são egoístas. O último pressuposto formulado pelos economistas é de que as pessoas agem por interesse próprio. Antes de qualquer coisa, sempre pensam em si mesmas no momento de tomar uma decisão. O altruísmo puro não é possível em economia. Os economistas assumem cinicamente que o comportamento humano é motivado pelo interesse próprio. Por exemplo, uma granada é jogada em uma trincheira com um pelotão de soldados e um deles sacrifica a vida pulando sobre a granada, salvando assim os outros. Para os economistas, esse

soldado calculou instantaneamente o benefício marginal e o custo marginal da decisão, determinou que o benefício marginal de salvar seus colegas soldados superava o custo marginal de sua vida e pulou sobre a granada como um ato de utilidade, maximizando o interesse próprio. Ele salvou seus amigos para maximizar sua utilidade como soldado.

Os pressupostos formulados pelos economistas estão sujeitos a críticas e debate. Muitos críticos acreditam que o campo apresenta uma tendência de ser muito abstrato e teórico para ter algum valor no mundo real. O fracasso da maioria dos economistas em prever a mais recente recessão econômica parece reforçar a visão de que a economia ignora a psicologia humana, por sua conta e risco.

A economia está em um ponto de inflexão como um campo de estudo, e os pressupostos que os economistas julgam importantes precisam ser cuidadosamente examinados. Em vez de ser ordenada, abstrata e matemática como a Física, a economia é um pouco mais complexa e orgânica, como a biologia.

O dinheiro fala mais alto

Consumo
Despesas de família em novos bens e serviços domésticos.

O SURGIMENTO DO LIVRE--COMÉRCIO E A IMPORTÂNCIA DA VANTAGEM COMPARATIVA

Porque todos os caminhos levam a Roma

O que leva a um padrão de vida mais elevado, à dependência dos outros ou a uma autossuficiência completa? Antes de responder à pergunta, considere qual abordagem representa melhor a sua vida. Você tem um emprego e paga todas as suas contas, ou mora em casa com seus pais e eles pagam a conta para a sua manutenção? Se você se mantém por conta própria, provavelmente se considera autossuficiente. Se ainda estiver morando na casa de seus pais, provavelmente se considera um pouco dependente. A verdade, porém, é que, sozinho ou morando na casa dos pais, você é altamente dependente dos outros para a comida que come, as roupas que veste e o teto sobre sua cabeça. Para conseguir obter o que necessita e deseja e desfrutar de um padrão de vida mais elevado, você deve negociar com os outros.

A história do comércio em 60 segundos

Desde que existe gente, existe comércio. No início, o comércio era uma questão simples. Por exemplo, as pessoas em uma família trocavam comida com seus vizinhos. Ao longo do tempo, o comércio expandiu-se quando as pessoas passaram a conhecer novos produtos vindos de lugares distantes e desenvolveram um gosto por eles. À medida que as tribos se tornavam reinos e os reinos se tornavam impérios, o comércio crescia em importância. Esse crescimento no comércio levou ao surgimento da influente classe mercantil. Esses comerciantes enfrentaram dificuldades em busca de lucro e suas atividades ajudaram a dar forma ao mundo moderno. Embora a escala de comércio tenha crescido enormemente ao longo da história, o que não mudou é que o comércio sempre ocorre entre indivíduos.

MERCANTILISMO

Uma das primeiras teorias do comércio foi o mercantilismo, que dominou a política comercial europeia dos séculos XVII e XVIII. O mercantilismo fundamentava-se na ideia de que um país e, portanto, os indivíduos, estavam em melhor situação se o valor das exportações de um país fosse maior do que o valor de suas importações. No mercantilismo, quanto mais ouro um país acumulava, mais rico ele ficava. Consequentemente, os países competiam para importar recursos naturais baratos e depois convertê-los em produtos manufaturados mais caros para exportação. É fácil perceber por que os países da Europa estavam ansiosos por competir entre si para colonizar e explorar as Américas recém-descobertas e ricas em recursos.

O mercantilismo tinha uma falha evidente. Se um país estivesse sempre tentando exportar mais do que importava e todos os outros estivessem jogando sob as mesmas regras, então alguém perderia. Com o objetivo de manter a vantagem de exportação de um país, os governos promulgavam muitas leis e impostos que distorciam o fluxo de bens sem necessariamente melhorar a vida das pessoas. No final, o mercantilismo criou uma situação de ganha-perde que prejudicou mais do que ajudou.

LIVRE-COMÉRCIO

As ideias do pensador escocês do século XVIII, Adam Smith, influenciaram o fim do mercantilismo. Ele e outras pessoas da época consideravam as políticas mercantilistas dos governos equivocadas e propensas a sofrer influência de interesses especiais. Ele argumentou em *A riqueza das nações* que, se um país se especializasse no que produzisse melhor e negociasse livremente esses produtos, então a sociedade estaria melhor. Adam Smith via a riqueza como a soma total de tudo o que o povo de um país produz. Na opinião dele, o livre-comércio levava a uma riqueza maior, mesmo que isso significasse, às vezes, importar produtos manufaturados de povos de outros países.

Um argumento utilizado para reforçar a ideia do livre-comércio é a teoria da vantagem comparativa. Enquanto Adam Smith defendia que um país deveria se especializar naquilo que fazia melhor e depois negociar com outros, outro pensador influente, David Ricardo, argumentava que é melhor um país se especializar naquilo que produz ao menor custo de oportunidade e depois negociar em troca de tudo o mais que precisasse. Esses dois conceitos são chamados de vantagem absoluta e vantagem comparativa.

Vantagem absoluta

Uma vantagem absoluta existe se você puder produzir mais de um bem ou serviço que qualquer outro, ou se puder produzir esse bem ou serviço mais rápido do que qualquer outro. Uma vantagem absoluta implica que você é mais eficiente, ou seja, capaz de produzir mais com a mesma quantidade de recursos. Por exemplo, Art pode escrever uma música de sucesso por hora, enquanto Paul consegue escrever duas músicas de sucesso por hora. Assim, Paul tem uma vantagem absoluta na composição de canções.

Vantagem comparativa

Uma vantagem comparativa existe se você puder produzir um bem a um custo de oportunidade menor do que qualquer outra pessoa. Em outras palavras, se você sacrificar menos de um bem ou serviço para produzir outro bem ou serviço, então você possui uma vantagem comparativa. No exemplo dado anteriormente, Art e Paul são compositores, mas e se ambos também fossem capazes de realizar uma cirurgia complexa do cérebro? Se Art e Paul puderem completar com sucesso duas cirurgias no cérebro em uma hora, então quem tem uma vantagem comparativa na composição de músicas e quem tem uma vantagem comparativa na cirurgia do cérebro?

Para calcular a vantagem comparativa, você precisa determinar o custo de oportunidade com o qual cada pessoa se depara ao produzir. No caso de Art, para cada música de sucesso que escreve, ele sacrifica duas cirurgias de cérebro bem-sucedidas. Em uma hora, Paul consegue produzir duas canções de sucesso ou duas cirurgias no cérebro. Isso significa que Paul sacrifica uma cirurgia no cérebro para cada canção de sucesso que ele escreve e, portanto, tem a vantagem comparativa na composição de músicas. Art, por outro lado, tem a vantagem comparativa na cirurgia de cérebro, pois, para cada cirurgia que realiza, ele sacrifica apenas metade de uma canção de sucesso, em comparação com Paul, que sacrifica uma canção inteira de sucesso para a mesma cirurgia. Em conclusão, Art deveria se especializar em cirurgia de cérebro e Paul em composição, pois é nessas áreas que eles encontram vantagem comparativa.

Eficiência e vantagem comparativa

É fácil desconsiderar a vantagem comparativa ao determinar quem deve produzir o quê. Se uma pessoa é mais eficiente do que outra, nem sempre quer dizer que deve realizar a tarefa. Lembre-se sempre de levar em conta o custo de oportunidade.

VANTAGEM COMPARATIVA E MUDANÇA ECONÔMICA

A teoria da vantagem comparativa permite que você compreenda melhor como a economia norte-americana[1] mudou ao longo dos últimos 60 anos. Nesse período de tempo, os Estados Unidos passaram de uma economia manufatureira de baixa qualificação para uma economia altamente qualificada e diversificada. Sessenta anos atrás, a maioria de suas roupas era produzida no mercado interno, mas hoje as etiquetas em suas roupas indicam que elas foram fabricadas em locais tão diversos quanto Vietnã, Bangladesh, Honduras, Marrocos e, naturalmente, China.

No mesmo período, ocorreram uma grande onda de inovação tecnológica e outros avanços culturais. Por exemplo, se há 60 anos você perguntasse a um grupo de calouros do ensino médio sobre seus planos para depois de formados e fizesse o mesmo agora, provavelmente descobriria que é muito mais provável que os estudantes de hoje queiram cursar um ensino superior do que nas décadas de 1940 e 1950. No passado, abandonar o ensino médio e trabalhar na oficina ou na fábrica era a norma; hoje, abandonar o ensino médio é motivo de preocupação. Há mais empregos, bem como mais cargos do que havia 60 anos atrás. Em outras palavras, existem mais oportunidades hoje do que há 60 anos. Naturalmente, isso vem com uma importante mudança: você deve ter formação ou treinamento para aproveitar a oportunidade.

Então, o que isso tem a ver com vantagem comparativa? Um exemplo pode ajudar. Considere 100 estudantes típicos do

---

1 Por ser uma tradução da edição americana muitas vezes os exemplos deste livro abordam a economia dos Estados Unidos. Estes exemplos foram mantidos quando foi constatado que não atrapalhavam a compreensão do conceito. Em todos os momentos em que foi necessário e possível, adaptamos para casos brasileiros. (N.E.)

ensino médio nos Estados Unidos e, em seguida, considere 100 jovens da mesma idade em Bangladesh. Em que país o custo de oportunidade de produzir uma camiseta é maior? Analisando os estudantes norte-americanos, você teria que concordar que eles têm mais oportunidades do que os de Bangladesh. Quando os norte-americanos se especializam em camisetas, mais médicos em potencial, enfermeiros, professores, engenheiros, mecânicos, bombeiros, policiais, gerentes de negócios, maquinistas e assistentes sociais são sacrificados do que em Bangladesh, onde a maioria dos trabalhadores provavelmente se tornaria agricultores de subsistência. O custo de oportunidade de produzir camisetas é muito menor em Bangladesh do que nos Estados Unidos e, portanto, Bangladesh possui uma vantagem comparativa na produção de camisetas. Embora os Estados Unidos tenham a capacidade de produzir camisetas de forma mais eficiente (vantagem absoluta), do ponto de vista econômico, faz sentido negociar produtos farmacêuticos, produtos químicos sofisticados, equipamentos de capital e *know-how* em troca de camisetas.

COMÉRCIO INTERNACIONAL E BARREIRAS COMERCIAIS
Livre-comércio sem fronteiras

Quando o comércio é voluntário e livre, o comprador e o vendedor se beneficiam (se você compra um litro de leite, o fazendeiro ganha dinheiro e você obtém o leite sem ter de ordenhar uma vaca). Como o livre-comércio voluntário é mutuamente benéfico, ele cria riqueza. A riqueza é simplesmente o valor coletivo de tudo o que você possui. Em um experimento interessante da Fundação para o Ensino de Economia (Foundation for Teaching Economics), cada membro de um grupo de participantes recebeu um objeto aleatório ao qual atribuiu um valor. Em seguida, o grupo negociou livremente seus objetos. Logo depois, solicitou-se novamente aos participantes para atribuírem um valor ao objeto em sua posse. A soma do segundo conjunto de valores foi maior do que a primeira. Sem nada novo acrescentado, riqueza foi (e é) gerada através do simples ato de livre-comércio voluntário.

COMÉRCIO INTERNACIONAL

Quando você negocia com pessoas em outros países, ocorrem os mesmos resultados de benefício mútuo e geração de riqueza. Antes da Segunda Guerra Mundial, os acordos comerciais entre nações eram em sua maioria bilaterais, ou seja, entre as duas partes, com interesses especiais protegidos e barreiras comerciais (tais como impostos sobre importações e exportações) comuns. Os benefícios do livre-comércio não se concretizavam e as nações se voltavam para o isolacionismo e o protecionismo.

No final da Segunda Guerra Mundial, representantes de grande parte do mundo livre industrializado se reuniram em Bretton Woods, New Hampshire, para discutir as questões econômicas que frequentemente eram a causa do conflito internacional. A conferência produziu o Fundo Monetário Internacional (FMI) e o Banco Mundial, mas não uma organização comercial para incentivar a cooperação internacional. Em 1947, muitas nações, incluindo os Estados Unidos, reuniram-se e formaram o Acordo Geral sobre Tarifas e Comércio (GATT). O objetivo do GATT era o de reduzir as barreiras comerciais para que os países membros pudessem igualmente desfrutar dos benefícios do livre-comércio.

O crescimento do comércio internacional foi acompanhado por um aumento no padrão de vida entre os membros do acordo. Em 1995, o GATT se tornou a Organização Mundial do Comércio (OMC). Sob o GATT e, posteriormente, a OMC, cada vez mais países passaram a defender menos barreiras comerciais. Consequentemente, o comércio internacional continuou a se expandir, e muitas nações têm colhido os benefícios. Por exemplo, desde a sua adesão à União Europeia e a abertura ao comércio internacional, a Irlanda passou de um dos países mais pobres da Europa para um dos mais ricos.

ARGUMENTOS CONTRA O COMÉRCIO INTERNACIONAL

Apesar de seus óbvios benefícios, o livre-comércio internacional tem muitos detratores:

- Os ambientalistas se preocupam com o fato de que, à medida que os países se especializam, a produção se concentrará naqueles que possuem menos regulamentações para proteger o meio ambiente da poluição e da destruição do habitat.
- Os sindicatos de trabalhadores se opõem ao livre-comércio com o fundamento de que a produção se deslocará para países com baixos salários que têm pouca ou nenhuma representação sindical e, portanto, com um impacto negativo sobre a filiação aos sindicatos.
- Os ativistas de direitos humanos geralmente se opõem ao livre--comércio, pois a produção se desloca para países onde as condições de trabalho são miseráveis e muitas vezes desumanas, e onde os trabalhadores não têm garantidos os mesmos direitos e privilégios que os das nações industrializadas.
- Os políticos e seus eleitores preocupados com a perda da soberania nacional muitas vezes se opõem aos acordos de livre--comércio alegando que as decisões que afetam a nação estão sendo tomadas por um organismo internacional que não está diretamente subordinado ao povo.

UM OLHAR SOBRE AS BARREIRAS COMERCIAIS

De tempos em tempos, os países procuram tributar, limitar ou até mesmo proibir o comércio internacional. Por quê? Embora o comércio voluntário seja mutuamente benéfico, os benefícios se espalham por toda a sociedade e os custos por vezes se concentram diretamente em um grupo específico. Um povo pode ter um forte interesse em preservar sua indústria, aumentar a arrecadação de impostos, salvar o meio ambiente ou até mesmo gerar mudanças sociais. Às vezes um país pode limitar o comércio para punir outro país. Tarifas, quotas e embargos são algumas das ferramentas que um país utiliza para atender a esses outros interesses.

TARIFAS

Uma tarifa é um imposto sobre o comércio. As tarifas podem ser utilizadas para aumentar a receita para o governo ou para beneficiar um segmento da economia. Você pode pressionar o Congresso a promulgar uma tarifa sobre importações se a sua indústria estiver sujeita à concorrência externa. Por exemplo, por anos a indústria siderúrgica dos Estados Unidos ficou protegida contra a concorrência estrangeira barata por tarifas protecionistas. Em 2007, a Índia propôs uma tarifa sobre as exportações de arroz a fim de evitar a escassez de alimentos. A tarifa Smoot-Hawley de 1930 pretendia proteger a indústria norte-americana e aumentar a receita tributária tão necessária para o governo.

As tarifas não deixam de ter suas desvantagens:

- As tarifas protecionistas muitas vezes têm o efeito de impedir a concorrência e incentivar o desperdício e a ineficiência.
- As tarifas sobre receitas muitas vezes não conseguem aumentar a arrecadação fiscal porque as pessoas param de comprar as importações agora mais caras.
- As tarifas sobre a exportação podem dar aos produtores um incentivo para não produzir.

QUOTAS

As quotas são limites do comércio. Em vez de um imposto sobre as importações, você pode utilizar uma quota para limitar a quantidade de mercadorias importadas em seu país. Nas décadas de 1970 e 1980, as montadoras e os sindicatos de trabalhadores dos Estados Unidos apoiaram quotas do governo sobre importações de carros estrangeiros para limitar a concorrência e preservar os empregos no país. O resultado foi maior preço e menor qualidade.

O dinheiro fala mais alto

Preço
A quantia monetária pela qual os consumidores e os produtores compram e vendem determinada quantidade de bem ou serviço.

No final, as empresas japonesas e alemãs contornaram as quotas estabelecendo suas fábricas nos Estados Unidos. Os produtores nacionais acabaram enfrentando mais concorrência em casa e os sindicatos de trabalhadores também sofreram, pois as empresas estrangeiras construíram suas fábricas em estados onde os sindicatos tinham menos poder.

As quotas também criam outros problemas:

- Elas não geram receita fiscal para o governo, mas criam mais responsabilidades.
- Elas fornecem um incentivo ao contrabando ilegal de mercadorias a fim de evitar a quota, criando assim mercados negros.
- Além disso, as quotas podem ser manipuladas por empresas estrangeiras para limitar a concorrência de outras empresas estrangeiras. Por exemplo, se existir uma quota para carros alemães importados para os Estados Unidos, então a empresa alemã que preencher primeiro a quota efetivamente bloqueia outras empresas alemãs de competir no mercado norte-americano.

EMBARGOS

Um embargo é uma proibição do comércio com outro país. A finalidade de um embargo é geralmente punir um país por alguma ofensa. O embargo mais conhecido é o dos Estados Unidos contra Cuba. Na esteira da revolução comunista e, mais tarde, da Crise dos Mísseis Cubanos, os Estados Unidos decretaram um embargo que proíbe todo o comércio com a nação insular. Embora os eventos estejam agora distantes no passado, o embargo persiste. Mais uma vez, você pode pensar em quem se beneficia com o embargo comercial, para entender por que ele ainda está em vigor.

ECONOMIAS TRADICIONAIS, PLANIFICADAS E DE MERCADO
Não é assim que fazemos as coisas!

Por que alguns países são tão ricos enquanto outros são tão pobres? A presença de recursos naturais abundantes é o que explica a riqueza de um país? Por que existe essa falta de desenvolvimento econômico entre diferentes grupos de povos nativos em todo o mundo? Qual é a importância do governo para uma economia e quais são os papéis econômicos adequados do governo? Um estudo de diferentes sistemas econômicos lançará alguma luz sobre essas questões.

DIFERENTES SISTEMAS ECONÔMICOS

Para sobreviver, as sociedades devem tomar decisões sobre como utilizar melhor seus recursos escassos (terra, trabalho, capital e capacidade empreendedora). Os economistas concluíram que, para sobreviver com seus recursos limitados, as sociedades devem responder a três perguntas básicas:

1. O que é produzir?
2. Como produzir?
3. Para quem produzir?

A outra razão para recordar 1776

O século XVIII, também conhecido como a Era da Razão, ou Iluminismo, assistiu a uma mudança fundamental na forma como as pessoas encaravam o seu mundo. O ano de 1776 foi especialmente importante, pois, além de ser o ano em que Thomas Jefferson escreveu a Declaração de Independência, foi também quando o livro *Investigação sobre a natureza e as causas da riqueza das nações*, de Adam Smith, foi publicado.

Ao longo da história, os povos desenvolveram vários sistemas para responder a essas perguntas. A maioria das sociedades primitivas desenvolveu o que os economistas chamam de economias tradicionais. Com o desenvolvimento da civilização vieram as economias planificadas e, após o Iluminismo, finalmente surgiram as economias de mercado. Além disso, desenvolveram-se combinações desses sistemas primários, incluindo o comunismo, o socialismo e o capitalismo (discutidos adiante no livro).

Economias tradicionais

Em um sistema econômico tradicional, as perguntas sobre o que e como produzir e a quem produzir são respondidas pela tradição. Caso já tenha assistido a um documentário sobre cultura primitiva, então você também viu uma economia tradicional em ação. Os bosquímanos kalahari vivem em um dos ambientes mais inóspitos do mundo, onde até mesmo os recursos mais fundamentais são escassos. Para sobreviver e ter comida suficiente, os bosquímanos desenvolveram uma divisão de trabalho baseada em gênero. As mulheres realizam a coleta de alimentos e os homens executam a caça. A comida é então compartilhada com toda a tribo. Nesse tipo de sistema, a estabilidade e a continuidade são favorecidas em relação à inovação e mudança. Os papéis das pessoas são definidos por gênero e status na comunidade. Nesse sistema, os idosos, jovens, fracos e deficientes são cuidados pelo grupo. O grupo compartilha as poucas posses que possui, e a propriedade privada é um conceito desconhecido. Em sua maior parte, todos entendem seu relacionamento com a comunidade e, como resultado, a vida segue de maneira bastante previsível.

Economias planificadas

À medida que as sociedades de caçadores-coletores cresciam e, finalmente, esgotavam seus suprimentos naturais de comida, outras sobreviviam tornando-se agricultores sedentários. Com o advento da agricultura, veio a necessidade de um sistema organizado de plantio, colheita e armazenamento de safras de cultura. Isso exigia maior estrutura do que existia em uma economia tradicional. A fim de assegurar a sobrevivência da sociedade, as decisões tiveram de ser tomadas sobre que culturas plantar e quanto armazenar da colheita. Com o tempo a tomada de decisão tornou-se centralizada e o sistema econômico planificado ou de comando se desenvolveu. A principal característica da economia planificada é a tomada de decisão centralizada. Um líder (ou um grupo de indivíduos poderosos) toma as principais decisões econômicas para toda a sociedade.

Entre os exemplos de sistemas centralizados, inclui-se a maioria, se não todas, das civilizações antigas, além dos países comunistas de hoje. Os faraós do Egito representam a tomada de decisão centralizada presente em uma economia planificada. O faraó e seus vários funcionários tomavam as principais decisões econômicas sobre o que produzir, como produzir e para quem produzir. As decisões poderiam ser algo do tipo: "Eu ordeno que você construa uma grande pirâmide de tijolo e argamassa utilizando escravos para o trabalho, e tudo isso é para mim". A vantagem desse tipo de sistema é a capacidade dos tomadores de decisão de produzir mudanças rápidas em sua sociedade. Por exemplo, os planos quinquenais do ditador soviético Josef Stalin transformaram rapidamente a União Soviética de sociedade agrária formada por camponeses para uma das superpotências industriais do mundo.

Ao seu comando

Durante a Segunda Guerra Mundial, os Estados Unidos praticaram a economia centralizada quando o governo assumiu fábricas e planejou a produção para o esforço de guerra. Cada aspecto da vida norte-americana foi de alguma forma influenciado pelo envolvimento do governo na economia. Até hoje você pode ver a influência. O sistema moderno de retenção em folha de pagamento foi instituído durante a guerra para proporcionar ao governo um fluxo constante de receitas fiscais.

A história revela as desvantagens trágicas dos sistemas econômicos centralizados. Conforme discutimos anteriormente, os faraós utilizavam o trabalho escravo, e os planos quinquenais de Stalin só foram realizados com o deslocamento forçado de milhões de pessoas e ao custo da vida de milhões de pessoas. Raramente quem toma as decisões atende aos desejos e às necessidades do cidadão comum. Os cidadãos servem à economia e ao Estado em vez de a economia e o Estado servirem aos cidadãos. A Coreia do Norte é um exemplo perfeito. A propriedade pertence apenas ao Estado. Muitos trabalhadores têm pouco incentivo pessoal para produzir, e aqueles que o fazem podem ter pouca consideração pela qualidade. Individualidade, inovação e variedade estão completamente ausentes no sistema centralizado.

Economias de mercado

Em total contraste com o sistema econômico planificado está a economia de mercado. As economias de mercado caracterizam-se por uma completa falta de tomada de decisão centralizada. Ao contrário do planejamento de cima para baixo, as economias de mercado operam de baixo para cima. Os indivíduos, tentando satisfazer os próprios interesses, respondem às perguntas sobre o quê, como e para quem produzir. Os cidadãos privados, agindo por sua própria vontade como compradores ou vendedores, negociam seus recursos ou produtos acabados no mercado a fim de aumentar o próprio bem-estar. Embora pareçam ir contra a intuição, as economias de mercado alcançam maior abundância, variedade e satisfação do que os sistemas econômicos tradicionais e planificados.

Mesmo que não possam ser classificados como sistemas de mercado puro, Hong Kong, Estados Unidos, Austrália e Nova Zelândia são exemplos representativos de economias de mercado. Em cada um deles você verá maior variedade de bens e serviços sendo produzidos do que em qualquer outro lugar. Além disso, como o foco não está em servir ao Estado, os indivíduos são livres para escolher sua vocação, possuir propriedade privada e determinar por si mesmos como utilizar melhor os recursos que possuem. Os mercados recompensam a inovação, a produtividade e a eficiência, mas desestimulam a complacência, a ociosidade e o desperdício. Se os mercados têm uma desvantagem é que aqueles que são incapazes ou não querem produzir por circunstâncias ou escolha são muitas vezes marginalizados e impossibilitados de desfrutar dos benefícios do sistema.

O dinheiro fala mais alto

Produtividade
A quantidade produzida com determinada quantidade de recursos.

CAPITALISMO *VERSUS* SOCIALISMO

Adam Smith e Karl Marx se confrontam

Hoje, as economias tradicionais são poucas e distantes entre si, as economias planificadas estão diminuindo e as economias de mercado puro não existem. O que existe é uma variedade de sistemas centralizados e de mercado; na verdade, economias híbridas. Os dois híbridos econômicos mais comuns são o socialismo e o capitalismo. Imagine um *continuum* econômico com um sistema econômico planificado puro à esquerda e um sistema de mercado puro à direita. Se você fosse distribuir as nações modernas ao longo desse *continuum*, na extrema esquerda ficariam lugares como a Coreia do Norte e o Irã, no meio apareceriam muitos países da Europa Ocidental e América Latina, e à direita, muitas antigas colônias britânicas, tais como Estados Unidos, Austrália e Hong Kong. Para todos os efeitos práticos, as nações colocadas à esquerda foram descritas na discussão sobre economias planificadas. No entanto, o meio e a direita do *continuum* representam a dicotomia do socialismo e do capitalismo.

Capitalismo e democracia

Não confunda capitalismo com democracia. Os dois não andam necessariamente juntos. A Índia é a maior democracia do mundo, mas é considerada uma economia socialista. Hong Kong nunca foi realmente uma democracia e ainda assim é o epítome do capitalismo.

A diferença entre socialismo e capitalismo está no grau da influência governamental e na propriedade estatal dos fatores de produção. Os países capitalistas baseiam-se nos preços de mercado para a alocação eficiente de produtos, estimulam a propriedade privada dos recursos econômicos e deixam a maioria das decisões econômicas para os indivíduos. Contudo, permitem ao governo:

- regulamentar os mercados;
- preservar a concorrência;

- subsidiar e tributar empresas;
- obrigar o cumprimento de contratos privados;
- redistribuir renda dos trabalhadores para os não trabalhadores.

Por exemplo, o governo dos Estados Unidos cria regras para o mercado de trabalho, quebra os monopólios, subsidia agricultores, tributa poluidores, julga os casos de quebras de contratos e cobra impostos de Seguridade Social.

No socialismo, o governo assume papel muito mais ativo na economia. Embora seja permitida a propriedade privada aos indivíduos, o Estado pode possuir empresas em setores econômicos fundamentais e regulamentar mais decisões econômicas do que no capitalismo. Na França não é raro que o governo detenha uma participação importante nas empresas francesas, até mesmo possuindo-as integralmente. O mercado de trabalho francês é mais fortemente regulamentado do que nos Estados Unidos. Em 2006, estudantes franceses vieram às ruas para protestar contra o fato de que o governo estava sendo pressionado por empresas francesas pelo direito de demitir empregados sem restrições durante os dois primeiros anos de emprego. Compare isso com os Estados Unidos, onde não há garantia de emprego.

A primeira-ministra antissocialista

Atribui-se à primeira-ministra britânica, Margaret Thatcher, a reversão do movimento do Reino Unido em direção ao socialismo. Com o fim da Segunda Guerra Mundial, os britânicos tinham se inclinado para o socialismo com a nacionalização de várias indústrias importantes. Quando no cargo, ela começou o processo de privatização, em que empresas estatais foram vendidas para acionistas privados.

Com muita frequência, os países socialistas gerenciam os preços de muitos bens e serviços. A União Europeia administra os preços de itens como produtos farmacêuticos, serviço de telefonia celular e alimentos. Além disso, os países socialistas são mais ativos na tributação, com o objetivo de redistribuir a renda de trabalhadores para não trabalhadores. A Alemanha é bem conhecida por seu generoso sistema de bem-estar social do "berço ao túmulo" que promete cuidar dos seus cidadãos. O Estado social alemão é financiado por um sistema fiscal redistributivo que muitos norte-americanos considerariam intolerável. Em 2015, a taxa de imposto marginal mais elevada sobre o rendimento pessoal na Alemanha era de 47,5%, em comparação com a taxa de 39,6% nos Estados Unidos.

ADAM SMITH, KARL MARX E A NATUREZA HUMANA

De acordo com John Maynard Keynes, "As ideias dos economistas e dos filósofos políticos, certas ou erradas, são mais poderosas do que normalmente se considera. De fato, o mundo é governado por pouco mais do que isso. Os homens práticos, que acreditam estar completamente isentos de quaisquer influências intelectuais, são em geral escravos de algum economista do passado". A visão de Keynes sobre a influência do pensamento econômico sobre a vida das pessoas pode ser observada nos vários sistemas econômicos que se desenvolveram ao longo do tempo. Em um campo estão aqueles que teriam o Estado como a principal instituição que zela pelo povo. No outro estão aqueles que acreditam que o problema da escassez só pode ser resolvido através da liberdade econômica individual.

Karl Marx disse: "De cada um, de acordo com sua capacidade; a cada um, de acordo com suas necessidades". Marx idealizou uma economia na qual o problema da escassez seria abordado por meio de uma completa redistribuição de riqueza e renda, dos proprietários de terra e capital para os trabalhadores. Em sua visão utópica, a justiça social, a igualdade econômica e o alívio da escassez seriam alcançados quando a sociedade fosse organizada de tal forma que todos fossem iguais, independentemente do nível de produtividade.

De acordo com Adam Smith: "Não é da benevolência do açougueiro, do cervejeiro ou do padeiro que esperamos o nosso jantar, mas de seu respeito pelo próprio interesse. Nós nos dirigimos não à sua humanidade, mas ao seu amor-próprio, e nunca lhes falamos de nossas próprias necessidades, mas das vantagens deles". Adam Smith tinha uma visão diferente da sociedade. Na sua visão, a produtividade era o determinante da riqueza e o interesse próprio racional era a força motriz que proporcionaria à sociedade os meios para escapar da escassez. Adam Smith acreditava que, quando a sociedade aproveitasse o poder do interesse próprio, o maior bem poderia ser alcançado.

Esses dois homens tinham duas maneiras muito diferentes de abordar o problema fundamental da escassez. Qual deles você acha que capta melhor a natureza humana? Se você acredita que as pessoas são basicamente boas e buscam servir uns aos outros, então as ideias de Marx soam verdadeiras. No entanto, se você acredita que as pessoas são inerentemente egoístas e buscam a própria ambição, então as palavras de Adam Smith podem lhe parecer mais válidas. Independentemente do que você acredita, tanto Smith quanto Marx conseguiram influenciar a sociedade de maneira evidentes ainda hoje.

ESCAMBO E DESENVOLVIMENTO DO DINHEIRO

Você tem troco para uma vaca?

De todas as invenções da humanidade, o dinheiro se destaca como uma das mais difundidas e úteis. Provavelmente não passa um dia sem que você o utilize ou pense nele. É difícil imaginar uma época em que as pessoas não tinham dinheiro, e pode ser assustador imaginar o que seria a sua vida sem ele. Do escambo às conchas, à moeda, ao papel, ao digital, a história do dinheiro abrange grande parte da história da humanidade.

ESCAMBO

Antes que o dinheiro fosse inventado e em épocas em que ele era inútil ou extremamente escasso, o escambo era usado como meio para as pessoas obterem aquilo que precisavam ou queriam. O escambo é simplesmente o ato de trocar um bem ou serviço por outro bem ou serviço. Um exemplo de escambo é quando um fazendeiro troca uma dúzia de ovos de galinha com um padeiro por um pão fresco. Embora fosse mais comum no passado, o escambo ainda existe.

O escambo não deixa de ter suas desvantagens. Obviamente, a troca não ocorrerá a menos que ambas as partes queiram o que a outra parte tem para oferecer. Isso é chamado de dupla coincidência de desejos. No exemplo do fazendeiro e do padeiro, se o padeiro não tiver nenhum desejo ou necessidade de ovos, então o fazendeiro não conseguirá nenhum pão. No entanto, se o fazendeiro for empreendedor e utilizar sua rede de amigos da aldeia, ele poderá descobrir que o padeiro precisa de alguns tripés novos de ferro fundido para esfriar o seu pão, e que o ferreiro precisa de um suéter novo de lã de carneiro. Com um pouco mais de investigação, o fazendeiro descobre que o tecelão queria uma omelete desde a semana anterior. O fazendeiro troca então os ovos por um suéter, o suéter pelos tripés e os tripés por seu pão fresco. Uau! Tem que haver uma maneira mais fácil de fazer as coisas.

O DESENVOLVIMENTO DO DINHEIRO

O exemplo anterior ilustra a necessidade de um meio mais eficiente de troca de bens e serviços. Pelas desvantagens do escambo, culturas em diferentes épocas e lugares desenvolveram o dinheiro.

Funções e características do dinheiro

Independentemente da forma que assuma (barra de ouro, nota de dólar, concha de ostra), o dinheiro é qualquer coisa que funcione como meio de troca, reserva de valor ou padrão de valor. O dinheiro funciona como:

- meio de troca quando está sendo usado para fins de compra e venda de bens ou serviços;
- reserva de valor quando você o obtém hoje e ainda é capaz de utilizá-lo mais tarde;
- padrão de valor quando você o estiver utilizando para medir quanto vale um bem ou serviço.

O dinheiro funciona melhor quando apresenta as seguintes características: portabilidade, durabilidade, divisibilidade, estabilidade e aceitação.

- Portabilidade refere-se à facilidade com que o dinheiro pode ser transportado de um lugar para o outro.
- Durabilidade significa que, quando se esquece de retirá-lo do bolso antes de lavar a roupa, você não fica quebrado, sem dinheiro.
- Divisibilidade significa que o seu dinheiro pode ser dividido em unidades menores a ponto de se perder, por exemplo, nas almofadas de seu sofá.
- Estabilidade existe quando o valor do dinheiro não varia demais (um dólar hoje compra praticamente a mesma quantidade de algo como na semana passada e na semana que vem).
- Aceitação significa que as pessoas concordam que o dinheiro representa o que se espera que represente e estão dispostas a trocar bens e serviços por ele.

Dinheiro não transportável

A Ilha de Yap, no Pacífico, é conhecida por seu dinheiro, que decididamente é difícil de transportar. Grandes pedras arredondadas que pesam centenas de quilos são usadas como meio de troca. Caso planeje visitar Yap, espere até chegar lá para trocar sua moeda, pois ela não caberá debaixo do assento ou no compartimento de carga do avião.

A evolução do dinheiro

Ao longo do tempo e das culturas, muitas coisas têm servido como dinheiro, como sal, tabaco, conchas, pedras grandes, metais preciosos e não preciosos, couro e cigarros, para citar alguns. O dinheiro pode ser uma mercadoria em si mesmo, uma representação de uma mercadoria ou um símbolo completamente abstrato de valor.

Moeda-mercadoria

Quando são utilizados minerais, metais ou produtos agrícolas relativamente escassos como meio de troca, eles são considerados moeda-mercadoria. Ouro e prata cunhados em moedas são exemplos de moeda-mercadoria. Uma vantagem da moeda-mercadoria é que ela pode ser utilizada para outros fins, além do dinheiro. Na década de 1980, muitas mulheres se enfeitavam utilizando joias com moedas de ouro, tais como a moeda com o desenho do Panda Chinês ou da Folha de Bordo Canadense. Os colonos norte-americanos não só fumavam tabaco, como também o utilizavam como dinheiro. O sal que hoje é comum era tão escasso em uma época em que os soldados romanos eram pagos com ele. Por outro lado, a utilidade de uma mercadoria também se torna uma desvantagem para utilizá-la como dinheiro. Se um país é dependente do uso de uma mercadoria como dinheiro e como recurso, então o dinheiro pode ser precioso demais para gastar.

Dinheiro representativo

O dinheiro representativo desenvolveu-se como uma alternativa para a moeda-mercadoria. Uma das propriedades do ouro é sua alta densidade. Transações que requerem grandes quantidades de ouro teriam sido desagradáveis porque esse metal é muito pesado e difícil de transportar. Os ourives ofereceram uma solução para esse problema. Ao emitir recibos para o ouro que tinham depositado, nasceu o dinheiro em papel representativo. Em vez de negociar com o ouro físico, bastava que as pessoas negociassem com os recibos do ouro depositado. Sempre que quisessem o ouro real, podiam resgatar seus recibos. Depois de anos de aceitação, as pessoas ficaram mais à vontade com a ideia de papel-moeda representativo e o conceito se firmou.

Moeda fiduciária inconversível

Como as pessoas já estavam familiarizadas com o dinheiro representativo em papel, o próximo passo na evolução não seria tão difícil de entender. Por que se preocupar em fazer o dinheiro de papel resgatável por qualquer coisa? Várias vezes na história a convertibilidade de dinheiro representativo por ouro ou prata tinha sido interrompida por motivo de guerra ou outras crises. Em 1933, o presidente Franklin Delano Roosevelt assinou uma ordem executiva que transformou o dólar de dinheiro representativo naquilo que é chamado de moeda fiduciária inconversível. Moeda fiduciária inconversível refere-se ao dinheiro em papel e virtual que intrinsecamente não possui valor e não é resgatável ou respaldado por alguma mercadoria real. É dinheiro porque o governo assim o afirma e porque estamos dispostos a aceitá-lo. O dólar dos Estados Unidos, o euro, a libra, o iene e a maioria das outras moedas no mundo atendem à definição de moeda fiduciária inconversível.

O padrão-ouro

No padrão-ouro, o dinheiro é respaldado por uma quantidade fixa de ouro. Você poderia realmente trocar o seu dinheiro pelo ouro. O padrão-ouro permite que um país só imprima moeda desde que tenha ouro para respaldá-la, evitando o excesso de impressão e a desvalorização. Desvantagem: atua como um limite para o crescimento. À medida que cresce a capacidade produtiva de uma economia, também deve crescer a sua oferta de moeda. Como o padrão-ouro requer que o dinheiro seja respaldado em ouro, a escassez do metal restringe a capacidade da economia de produzir mais capital e crescer.

ANÁLISE SOBRE A MOEDA FIDUCIÁRIA INCONVERSÍVEL

Bem-vindo ao matrix

O padrão de moeda fiduciária inconversível que existe hoje tenta contornar os pontos fracos do padrão-ouro. A maior desvantagem do padrão-ouro é que ele atua como um limite para o crescimento econômico. De acordo com o economista Adam Smith, a riqueza não é uma função da quantidade de ouro ou prata que um país possui, mas a soma de todos os bens e serviços produzidos por uma economia. Faz sentido que a quantidade de moeda que uma economia possui deve refletir de alguma forma a sua capacidade de produzir riqueza. À medida que se expandem, as empresas precisam de dinheiro para comprar ferramentas, fábricas e equipamentos necessários para atender tanto às suas necessidades de produção quanto à demanda por seus bens e serviços. Por não ser respaldada por qualquer coisa real ou tangível, a oferta de moeda pode crescer à medida que a economia cresce.

DINHEIRO: O AMIGO IMAGINÁRIO DE TODO MUNDO

Essa flexibilidade explica por que persiste o padrão de moeda fiduciária inconversível. Contudo, lembre-se de que a moeda fiduciária inconversível só é dinheiro porque o governo diz que é e as pessoas concordam. Para que as pessoas concordem, elas devem confiar que o dinheiro não vai de repente perder seu valor ou que o governo que o sustenta não vai cair amanhã. Para que as pessoas não percam a confiança na oferta monetária, o Banco Central de um país deve controlar cuidadosamente sua disponibilidade a fim de evitar que a quantidade de moeda seja demasiado abundante ou muito escassa.

Promessas, promessas

Dinheiro é dívida. O dólar norte-americano é uma promessa de pagamento do Banco Central dos Estados Unidos para o detentor de moeda. Você poderia perguntar: "Uma promessa de pagar o quê?". A resposta é: outro dólar.

Se você parar para pensar nisso, o padrão de moeda fiduciária inconversível soa como ficção científica. O dinheiro de hoje é intrinsecamente sem valor e só é resgatável por mais dele mesmo. O sistema funciona porque o governo assim o diz e todos coletivamente acreditam nisso. O que respalda o dinheiro é apenas a fé. Quando você pensa em depósito direto, pagamento online de contas, cartões de débito e cheques, a ideia de dinheiro é ainda mais estranha. Você trabalha, paga as contas, compra mantimentos e consegue sobreviver e até mesmo prosperar na economia, mas pode passar dias ou semanas sem sequer tocar, ver ou cheirar dinheiro. O dinheiro é imaginário. Pense em sua conta bancária. Não existem pequenas pilhas de notas de dinheiro colocadas no cofre do banco com o seu nome sobre elas. Na verdade, contas-correntes e de poupança nada mais são do que informações armazenadas em computadores.

PERDA DE FÉ E DESESPERO COLETIVO

Como o dinheiro é respaldado pela fé, qualquer coisa que corroa essa fé é destrutiva. Um dos maiores destruidores do dinheiro ou, pelo menos, do valor que o dinheiro representa, é a inflação. Em última análise, a inflação é causada pelo excesso de dinheiro em circulação. Esse excesso de dinheiro aumenta os preços e torna a maioria das coisas mais cara. No padrão-ouro as expectativas das pessoas em relação à inflação são mantidas sob controle e isso gera não só uma maior estabilidade de preços, como também serve para estabilizar o emprego e a economia como um todo. Com o padrão-ouro, o dinheiro tem de estar respaldado por ouro de verdade guardado no banco em algum lugar do mundo. Isso impede que o governo imprima moeda em excesso, reduzindo muito a possibilidade de a inflação influenciar a economia, além de servir como um controle para que o governo não se endivide demais.

O excesso de moeda é perigoso porque faz com que o dinheiro perca valor e é, portanto, altamente inflacionário. Durante o período entreguerras, a República de Weimar, na Alemanha, imprimiu sua moeda em excesso e isso levou a uma inflação galopante e à ruína financeira. Quando a moeda é fiduciária inconversível, não existem os freios e contrapesos inerentes ao padrão-ouro.

O excesso de impressão e a falsificação representam uma séria ameaça a qualquer oferta monetária.

Em resposta a esses perigos, os governos estão constantemente pensando em novas formas de garantir melhor o seu dinheiro e torná-lo mais difícil de falsificar.

MEDIÇÃO DA OFERTA MONETÁRIA: M1 E M2

Essa coisa estranha chamada dinheiro é administrada e medida pelo Banco Central (Federal Reserve Bank, ou Fed, nos Estados Unidos). São duas as principais medições que o Banco Central utiliza para descrever a oferta monetária: M1 e M2.

- A medição M1 é composta de todos os saldos de conta-corrente, dinheiro, moedas e cheques de viagem que circulam na economia.
- O M2 é composto de tudo o que compõe o M1 mais todos os saldos das contas de poupança, certificados de depósito, saldos das contas do mercado monetário e dólares norte-americanos depositados em bancos estrangeiros.

O M1 é usado principalmente como meio de troca, enquanto o M2 é usado como reserva de valor. O M2 é maior e menos líquido do que o M1.

"Dinheiro" não circulante

O dinheiro e as moedas em um banco não são contados no M1. Por que não? Porque não é dinheiro até você sair do banco. Assim, tecnicamente, é incorreto o ladrão de banco exigir dinheiro enquanto ele estiver dentro da agência.

As mudanças no M1 e no M2 são monitoradas pelo banco e atuam como indicadores da atividade econômica. Mudanças súbitas na proporção de M1 e M2 podem indicar inflação iminente ou recessão. Em geral, se o M1 crescer mais rapidamente do que a taxa combinada da força de trabalho e do crescimento da produtividade, então há o risco de inflação. Se, no entanto, o M2 crescer de repente à custa do M1, porque as pessoas estão poupando e não gastando, então isso tenderia a indicar que a economia caminha na direção de uma recessão.

O VALOR DO DINHEIRO NO TEMPO E AS TAXAS DE JUROS

Carpe diem!

Os economistas observam que o valor do dinheiro é afetado pelo tempo: um real hoje vale mais do que um real amanhã. Isso tem a ver com o custo de oportunidade e a inflação. Se você emprestar ao seu amigo o dinheiro que está em sua carteira, seu custo de oportunidade é o sacrifício de seu uso imediato. Quando finalmente o seu amigo lhe pagar de volta, o dinheiro terá perdido poder de compra devido à inflação. Por exemplo, a cadeira que custa 50 reais quando você emprestou o dinheiro, pode custar 55 reais dois anos depois, quando o seu amigo lhe pagar de volta, ou seja, além de não ter podido comprar a cadeira quando precisava dela, ela custará mais para comprar agora. Há também o risco de seu amigo mudar para outro lugar e se "esquecer" de lhe pagar.

Como resultado, ao emprestar dinheiro, as pessoas muitas vezes querem ser recompensadas com um pagamento adicional – juros – para compensar o custo de oportunidade e a inflação. Ao depositar dinheiro em sua conta de poupança, você espera ganhar juros, pelo mesmo motivo. Caso contrário, você simplesmente guardaria o seu dinheiro embaixo do colchão.

PRINCÍPIOS DOS JUROS

Os juros não são nada mais do que um pagamento para usar o dinheiro. Uma taxa de juros é o preço para usar o dinheiro. O que determina esse preço? Pode-se pensar na taxa de juros como um conjunto de blocos empilhados uns sobre os outros. Esses blocos incluem:

- custo de oportunidade
- taxa de inflação esperada
- prêmio de risco de não pagamento
- prêmio de liquidez
- prêmio de risco de vencimento

Vamos analisar cada um desses itens mais de perto.

Custo de oportunidade (taxa básica de juros)

O primeiro bloco representa o custo de oportunidade de usar o dinheiro. Algumas pessoas prontamente renunciam ao uso imediato de seus fundos a fim de receber juros. Outras podem não estar dispostas a sacrificar o uso imediato de seu dinheiro. Na ausência de inflação ou risco, a taxa de juros que iguala o nível de poupança ao nível de empréstimo é a taxa básica de juros ou taxa de juros real.

Em outras palavras, se você estiver disposto a renunciar à oportunidade de usar seu dinheiro por um pagamento de juros de 2% (também chamado de retorno), então esta seria a taxa básica de juros para o dinheiro que você empresta. Como você pode imaginar, a taxa de juros real varia de um lugar para outro e de um momento para outro. Se a maioria das pessoas estiver mais interessada em gastar o dinheiro agora do que em renunciar ao seu uso para ganhar juros, a taxa de juros terá que subir para fazê-las mudar de ideia.

O passado inflacionário

Muitos norte-americanos mais velhos podem se lembrar de uma época no final da década de 1970 e início dos anos 1980 em que as taxas de juros de empréstimos, assim como de hipotecas, chegavam a 20%. Comparando com as baixas taxas de hoje, há uma grande diferença. A explicação para a diferença é a inflação. As taxas de juros incluem um prêmio pela inflação. Assim, mesmo que sua poupança esteja rendendo uma taxa muito mais baixa hoje, quando você ajusta pela inflação as diferenças praticamente desaparecem.

Taxa de inflação esperada

Embora a taxa básica de juros de 2% possa reembolsá-lo pelo seu custo de oportunidade, ela não contabiliza a inflação, que vai corroer esse retorno. Assim, o segundo bloco de juros representa o custo da inflação esperada. Suponha que a inflação nos Estados Unidos tenha sido estável por anos a uma taxa de 3% e que as pessoas estejam bastante confiantes de que permanecerá em 3%. Um credor ou investidor cobrirá o custo da inflação esperada e adicionará 3% à taxa de juros real de 2% para chegar a uma taxa de juros nominal de 5%. A taxa de juros nominal é a taxa básica que um investidor ou credor cobrará pelo uso do dinheiro.

Prêmio de risco de não pagamento

Se houver probabilidade de que o empréstimo ou o investimento tenham problemas, então faz sentido acrescentar outro bloco à pilha. Esse terceiro bloco é chamado de prêmio de risco de não pagamento. Quanto maior o risco de não pagamento ou inadimplência, maior o bloco, e maior a taxa de juros nominal total. Alguém com um histórico de pagamento dos empréstimos dentro do vencimento será considerado menos arriscado para emprestar dinheiro do que alguém que tem um histórico irregular de pagamento e, portanto, pagará uma taxa de juros total menor.

Prêmio de liquidez

Se houver probabilidade de que o investimento ou o empréstimo sejam difíceis de repassar ou vender para outro credor ou investidor, como um empréstimo de dez anos para aquisição de um automóvel, outro bloco de juros é acrescentado. Isso ocorre porque se pode ganhar dinheiro na compra e venda de empréstimos, mas não tanto quando esses empréstimos são para produtos de baixa liquidez. Poucas pessoas estão dispostas a assumir o risco de comprar um empréstimo garantido por um ativo totalmente depreciado, como um carro no final de um empréstimo de dez anos. Esse quarto bloco é chamado de prêmio de liquidez. Produtos difíceis de transformar em dinheiro vivo exigem uma taxa de juros mais elevada.

Prêmio de risco de vencimento

Um último bloco é acrescentado para o risco de vencimento. Com o passar do tempo há uma possibilidade de que as taxas de juros aumentem. Se isso acontece, o valor do investimento diminui, pois quem ia querer um investimento que rende apenas 2% quando você pode obter um investimento semelhante que rende 4%?

Portanto, aqui está um exemplo de como uma taxa de juros é calculada. A taxa de juros real é de 2% e a taxa de inflação é de 3%, que se somam para formar uma taxa de juros nominal de 5%. Suponha que o prêmio de risco seja de 4%, o prêmio de liquidez seja de 2% e o prêmio de risco de vencimento, de 1%. A taxa de juros nominal total chegaria a 12% (2% + 3% + 4% + 2% + 1%).

A ORIGEM DOS BANCOS

Fundado em 2000 a.C.

Ambiente silencioso, balcões de mármore frio, cheiro de dinheiro, canetas presas às mesas por meio de correntes, folhas de depósito em branco, portas de aço maciças com fechaduras impressionantes, cordas que orientam os clientes para o caixa adequado – o banco é um lugar importante. Os bancos estão em toda parte. No tempo que leva para caminhar de uma loja Starbucks para outra, você passará por várias agências de bancos. De pequenos vilarejos a grandes cidades, a ubiquidade dos bancos revela sua importância para a economia. Muito criticados ultimamente, os bancos são parte integrante da economia. Sem eles, o capitalismo não funcionaria.

PRIMEIROS BANCOS

As raízes da atividade bancária podem ser rastreadas até as primeiras civilizações. Os egípcios e as primeiras sociedades do Oriente Médio desenvolveram o protótipo em que se baseia o banco moderno. As colheitas agrícolas eram armazenadas em celeiros operados pelo governo, onde eram mantidos registros de depósitos e retiradas. A civilização antiga introduziu os cambistas, que trocavam moedas de diferentes países para que mercadores, viajantes e peregrinos pudessem pagar impostos ou fazer oferendas religiosas.

Na época do Renascimento, as cidades-Estado italianas abrigaram os primeiros bancos, que financiavam o comércio, o Estado e a Igreja Católica. A fim de evitar a proibição da Igreja contra a usura (cobrança de juros), os banqueiros emprestavam em uma moeda, mas exigiam o pagamento em outra. O lucro era, portanto, obtido pela utilização de diferentes taxas de câmbio no momento em que o empréstimo foi feito e quando foi reembolsado. O sucesso dos banqueiros italianos induziu uma expansão da atividade bancária para todo o continente. Na Inglaterra, os ourives eram responsáveis não só por armazenar ouro e emitir recibos, como também pelo desenvolvimento do que agora é chamado de sistema de reserva fracionária. Ao emitir mais recibos do que havia em ouro depositado, os ourives aumentavam o potencial de lucro do setor bancário.

Da época da Revolução Norte-americana até a Guerra Civil, os Estados Unidos assistiram a uma expansão da atividade bancária relativamente pouco regulamentada, que ajudou a financiar o crescimento da jovem república. A moderna atividade bancária nos Estados Unidos tem suas origens na Lei do Banco Nacional (National Bank Act) de 1863, que deu ao governo os meios para financiar a Guerra Civil.

A FUNÇÃO DOS BANCOS

Os bancos cumprem várias funções na economia. Eles atuam como locais seguros para as pessoas armazenarem a sua riqueza, ajudam a facilitar o comércio fornecendo métodos alternativos de pagamento, mas, principalmente, reúnem poupadores e tomadores de empréstimos. Cada uma dessas funções é fundamental para o bom funcionamento da economia.

No Segundo tratado sobre o governo civil, John Locke observa que, desfrutarem de sua propriedade privada, as pessoas devem estar seguras nessa propriedade. Thomas Jefferson parafraseia Locke na Declaração de Independência quando afirma: "Eles são dotados pelo Criador de certos direitos inalienáveis, entre os quais está a vida, a liberdade e a busca da felicidade". Ao que Jefferson se refere como felicidade, Locke se refere como propriedade. Embora Locke e Jefferson não estivessem se referindo aos bancos, e sim aos governos, os primeiros cumprem uma importante função de segurança. Quando você sabe que sua propriedade privada está segura, então está em melhores condições para desfrutar de sua liberdade.

O precursor do cartão de débito

Os historiadores atribuem o desenvolvimento do cheque aos Cavaleiros Templários e Hospitalários, que usavam documentos assinados para transferir riqueza entre suas ordens.

Ao fornecer aos clientes o privilégio de emissão de cheques e de utilizar cartões de débito, cartões de crédito e cheques, os bancos facilitam o comércio. Com vários meios de acesso à riqueza armazenada, os consumidores conseguem fazer compras com mais frequência e em mais lugares. Isso permite que as empresas empreguem mais propriedade, trabalho e capital, o que, por sua vez, resulta em uma economia com pleno emprego.

Atuar como mediador ou intermediário entre poupadores e tomadores de empréstimo é provavelmente a função mais importante dos bancos. Os bancos induzem as pessoas a poupar dinheiro oferecendo o pagamento de juros. Essas economias são então emprestadas aos tomadores a uma taxa de juros superior à paga aos poupadores, permitindo que o banco lucre. O poupador se beneficia porque recebe juros em um investimento financeiro seguro e relativamente líquido sem ter de avaliar se um tomador em potencial é um bom risco. O tomador se beneficia ao ter acesso a um grande conjunto de fundos. Isso é importante para a economia porque os tomadores podem agora adquirir bens duráveis ou investir em capitais ou imóveis, o que gera empregos e crescimento econômico.

COMO OS BANCOS CRIAM DINHEIRO

Para além do "abracadabra!"

Contrariamente à crença popular, a maior parte do dinheiro não é criada nas impressoras do governo. Quando os bancos aceitam depósitos e fazem empréstimos, dinheiro é criado. Para entender como isso funciona, você precisa conhecer alguns princípios contábeis (vou tentar tornar essa parte o mais indolor possível, eu prometo).

BALANÇOS PATRIMONIAIS

Um balanço patrimonial compara os ativos que um banco possui com os passivos que ele deve. Caso nunca tenha feito um curso de contabilidade, então talvez não esteja familiarizado com a seguinte equação: Ativos = Passivos + Patrimônio Líquido. Se você não caiu no sono ainda, por favor, tenha paciência durante a seguinte explicação:

- Os ativos de um banco incluem edifícios, equipamentos, empréstimos a clientes, títulos do tesouro, caixa e reservas. Isso é basicamente tudo o que o banco possui.
- Os passivos de um banco incluem depósitos dos clientes e empréstimos de outros bancos ou do Banco Central. Isso é basicamente tudo o que o banco deve.
- Patrimônio líquido, ou capital financeiro de um banco, é a participação societária representada pelas ações.

Como os ativos correspondem aos passivos mais o patrimônio líquido, um banco com (por exemplo) 1 milhão de reais em ativos e 500 mil reais em passivos teria 500 mil reais em patrimônio líquido. Além disso, mudanças nos passivos de um banco podem gerar uma mudança igual nos ativos. Por exemplo, se os clientes depositam 100 mil reais em um banco (um passivo), então as reservas do banco aumentam em 100 mil reais (um ativo). Por outro lado, se os clientes retiram 25 mil reais, então as reservas bancárias também se reduzem em 25 mil reais.

Definição de exigências de capital

Os bancos são obrigados por lei a manter um mínimo exigido de capital. Trata-se de dinheiro em caixa real (capital) que um banco deve manter à disposição para realizar suas operações, geralmente uma proporção que está relacionada com o risco de seus empréstimos (empréstimos mais arriscados geram maior exigência de capital). O objetivo da exigência de capital é assegurar que o banco consiga pagar aos depositantes caso parte dos tomadores de empréstimo do banco não consiga reembolsar os empréstimos. As exigências de capital também significam que os bancos têm interesse em fazer empréstimos sólidos.

RESERVAS BANCÁRIAS

O que exatamente são reservas bancárias? Reservas são fundos disponíveis para empréstimos ou mantidos contra depósitos à ordem. As reservas disponíveis para empréstimos são denominadas reservas em excesso, e as mantidas contra depósitos à ordem, exceto poupança, são denominadas reservas mínimas obrigatórias (veja o box "Definição de exigências de capital"). As reservas mínimas obrigatórias são mantidas como dinheiro no cofre do banco ou depositadas na conta de reserva do banco com o Banco Central.

Nos Estados Unidos, a proporção de reserva mínima obrigatória estabelecida pelo Fed é a porcentagem de depósitos à ordem que um banco não pode emprestar. Para grandes bancos, a proporção de reserva mínima obrigatória é de 10%. Portanto, assumindo 10% de proporção de reserva mínima obrigatória, se os clientes depositarem 100 mil reais em contas-correntes, as reservas obrigatórias aumentam em 10 mil reais e as reservas em excesso aumentam em 90 mil reais. Quando a economia está saudável, os bancos tendem a emprestar todas as reservas em excesso. Por quê? Os bancos lucram cobrando juros sobre os empréstimos; portanto, eles têm um forte incentivo para maximizar a quantia que emprestam.

A PARTE ABRACADABRA

O dinheiro é criado quando o banco continua a emprestar suas reservas em excesso. Por exemplo, um depósito de 100 mil reais gera um aumento de reservas em excesso de 90 mil reais. Se o banco emprestar os 90 mil reais para um cliente, que, por sua vez, adquire um veículo de passeio, o vendedor do veículo pode então depositar os 90 mil reais em um banco.

O que aconteceu com o saldo de depósitos no banco? Ele cresceu de 100 mil reais para 190 mil reais em um curto período de tempo. Dinheiro foi criado. O processo não para apenas nessa transação. Você pode perceber que o banco agora tem 90 mil reais em novos depósitos. O banco manterá 10% como reserva mínima obrigatória e emprestará o resto. Os recursos do empréstimo serão depositados e agora 81 mil reais de dinheiro novo são criados. Esse processo continua até que todas as reservas em excesso sejam emprestadas.

O multiplicador monetário

Os economistas conseguem estimar o crescimento da oferta monetária com o multiplicador monetário. Embora isso possa soar como uma bugiganga que você gostaria de ter em seu porão, trata-se basicamente de uma fórmula: o número 1 dividido pela proporção de reserva mínima obrigatória, multiplicado pela reserva em excesso.

Dado que a proporção de reserva é de 10%, o multiplicador monetário é de 10 (se a proporção de reserva fosse de 25%, então o multiplicador monetário seria 4). Se 30 mil reais são depositados em uma conta-corrente, os economistas preveem que a oferta monetária crescerá no máximo 270 mil reais ([R$ 30.000 – R$ 3.000] × 10).

A precisão do multiplicador monetário como prognosticador da oferta monetária é limitada por dois fatores. O multiplicador assume que os bancos emprestam todas as reservas em excesso e que os empréstimos voltam todos a ser depositados. Se qualquer uma dessas suposições não se confirmar, o efeito multiplicador é reduzido. Muitos norte-americanos mantêm seu dinheiro em casa e isso atua como um limite ao multiplicador monetário.

O divisor monetário

Assim como é facilmente é criado, o dinheiro também pode ser destruído (o horror!). Lembre-se: o dinheiro é criado quando os clientes fazem depósitos e os bancos fazem empréstimos. O dinheiro é destruído quando os clientes retiram saldos e pagam empréstimos. Considere o exemplo a seguir. Se Maria emite um cheque de 10 mil reais para pagar o empréstimo de seu carro, os depósitos são reduzidos em 10 mil reais e a oferta de dinheiro encolhe. O que é bom para você, individualmente, pode não ser bom para a economia.

OS BANCOS COMO UM SISTEMA: REGULAMENTAÇÃO E DESREGULAMENTAÇÃO

Você coça minhas costas e eu coço as suas

Os bancos trabalham em conjunto como um sistema para reunir poupadores e tomadores de empréstimo. Eles realizam isso emprestando e tomando emprestado diretamente entre si. Às vezes os bancos podem ter reservas em excesso, mas as empresas ou famílias podem não estar dispostas a contrair empréstimos. Suponha que o *Banco Leste*[2] esteja mantendo reservas em excesso, mas não tenha oportunidades para emprestar em sua região. O *Banco Oeste* não tem reservas em excesso, mas tem empresas e consumidores clamando por empréstimos. O *Banco Oeste* pode tomar emprestado do *Banco Leste* no Mercado de fundos federais (Fed Funds Market) e oferecer empréstimos a seus clientes. O *Banco Leste* lucra por ganhar a taxa dos fundos do Banco Central e o *Banco Oeste* lucra por ganhar taxa de juros mais elevada que cobra dos clientes. Todo mundo fica feliz!

Ajudando um banqueiro pobre

Caso esteja com reservas baixas e saiba que não cumprirá sua reserva mínima obrigatória diária, um banco pode tomar emprestado de outros bancos overnight no mercado de fundos federais. Por exemplo, suponha que o *Banco Acme* tenha uma cliente que retire a poupança de uma vida inteira para viajar a Cozumel. Como os bancos não possuem reservas contra depósitos de poupança, isso pode deixar o *Banco Acme* sem as reservas mínimas obrigatórias que precisa manter contra os depósitos em conta-corrente. O *Banco Papa-Léguas*, no entanto, pode ter reservas em excesso disponíveis apenas ganhando juros mínimos em sua conta de reserva com o Banco Central. Para o *Banco Papa-Léguas* é mais lucrativo emprestar suas reservas em excesso ao *Banco Acme* a uma taxa superior à dos fundos federais.

---

[2] As empresas mencionadas nos exemplos no decorrer do livro são fictícias. (N.E.)

Corridas aos bancos

Corridas aos bancos ou pânicos bancários ocorreram muitas vezes ao longo da história dos Estados Unidos. Como os bancos operam com bem menos de 100% de reservas obrigatórias, é possível que, se uma quantidade suficientemente grande de clientes exigir seus saldos bancários em um único dia, o banco não consiga atender à demanda. Isso naturalmente seria catastrófico para o banco e seus clientes. O banco ficaria insolvente, e os clientes impossibilitados de retirar seus fundos quebrariam.

O que faria com que os clientes exigissem seus saldos bancários de uma só vez? O medo, baseado na verdade ou não. Muitos pânicos bancários foram causados por boatos ou especulações sobre a saúde financeira de um banco. Se muitas pessoas acreditarem nos boatos, logicamente vão querer retirar seus fundos e transferi-los para outra instituição financeira ou guardá-los embaixo do colchão. Quando uma fila começa a se formar na porta do banco, outros clientes vão perceber e o boato se espalhará. Os bancos podem evitar uma corrida se conseguirem emprestar de outros bancos e pagar os saques dos clientes. No entanto, se a especulação ou os boatos estiverem muito disseminados, os bancos podem ficar relutantes em emprestar uns aos outros. Quando isso acontece, podem surgir mais especulações e gerar uma corrida a todo o sistema financeiro.

REGULAMENTAÇÃO E DESREGULAMENTAÇÃO DOS BANCOS

Antes da Guerra Civil os bancos recebiam autorização de funcionamento dos estados e podiam emitir a própria moeda. Em resposta à necessidade de receita do governo para pagar pela guerra, o Congresso aprovou a Lei do Banco Nacional de 1863, que criou os bancos com autorização federal com poderes para emitir a nova moeda nacional e títulos do governo (bônus).

O dinheiro fala mais alto

Bônus
Um título que é uma promessa do tomador de empréstimo de pagar a um credor em uma data específica, com juros.

Para assegurar a liquidez em caso de crise, os bancos maiores aceitavam depósitos de bancos menores que poderiam ser sacados caso os bancos menores sofressem uma corrida bancária. O sistema baseava-se no conceito de que uma corrida a um banco pequeno poderia ser contida recorrendo-se às reservas de um banco muito maior. No entanto, o sistema não considerava a possibilidade de que uma corrida a um banco pequeno pudesse gerar um contágio levando a uma corrida sistêmica a todos os bancos.

Regulamentações bancárias desde a década de 1900

Um pânico bancário generalizado em 1907 levou o Congresso dos Estados Unidos a aprovar a Lei de Reserva Federal de 1913, que criou o moderno Sistema de Reserva Federal (Federal Reserve System), a versão norte-americana de um Banco Central. O Fed atua como principal regulador bancário do país. O Conselho de Governadores do Fed regulamenta os bancos membros, enquanto os bancos distritais do Fed supervisionam e aplicam os regulamentos do conselho. Infelizmente, o Banco Central não reagiu adequadamente à corrida aos bancos que ocorreu durante a Grande Depressão. Em vez de fornecer a liquidez necessária, o Fed secou o crédito, prolongando (pelo menos, na opinião de alguns economistas) a depressão.

Outro teste para o sistema bancário veio na década de 1980 com a crise de poupança e empréstimo. Empréstimos agressivos do setor de poupança e empréstimo e as frágeis garantias levaram a uma série de falências de instituições de poupança e empréstimo. Semelhante ao fundo garantidor dos bancos, o fundo garantidor de poupança e empréstimo (Federal Savings and Loan Insurance Corporation – FSLIC) pagou aos depositantes cujas instituições faliram. O contribuinte norte-americano foi, em última instância, quem mais perdeu, quando bilhões foram gastos para limpar a bagunça financeira e reembolsar os depositantes.

Ao longo do século XX, a economia norte-americana cresceu e a indústria começou a aumentar em tamanho e importância. Logo, empresas locais e regionais concorriam com empresas nacionais. Empresas norte-americanas de âmbito nacional eram atendidas por um sistema bancário fragmentado e regional. A regulamentação bancária manteve os bancos americanos relativamente pequenos em comparação com os bancos de outros países. O setor bancário efetivamente fez lobby pela desregulamentação a fim de crescer e competir em âmbito nacional e até mesmo internacional.

Desregulamentação bancária

A desregulamentação da atividade bancária que ocorreu no final do século XX permitiu que os bancos operassem em todo o país e também lhes permitiu expandir o nível dos serviços prestados. No final, determinados regulamentos foram revogados e os bancos se envolveram no negócio de investimento especulativo. Quando caíram os muros que separavam os bancos tradicionais das instituições similares a bancos, as sementes para outra crise financeira foram plantadas. Hoje, o setor bancário está em fluxo. Existe uma pressão pela regulamentação para evitar futuras crises bancárias. Uma vez que a linha que separa os bancos de outras instituições financeiras ficou difusa, a tarefa para os legisladores é criar uma estrutura regulatória que englobe todas as atividades similares aos bancos. A história mostrará se eles tiveram sucesso ou não.

OFERTA E PROCURA: MERCADOS
Negociatas

Você está assistindo às notícias quando alguém diz: "Os altos preços da gasolina devem diminuir a demanda". Como você avalia uma afirmação como essa? Esse sujeito está na televisão, logo ele deve saber sobre o que está falando, certo? Não tenha tanta certeza. Muitas pessoas inteligentes desenvolvem argumentos econômicos utilizando terminologia econômica e podem até mesmo parecer convincentes, mas há muita economia ruim por aí. Para ter uma boa compreensão da economia você deve entender um pouco sobre oferta e procura. Os conceitos são centrais até mesmo para os argumentos econômicos mais complexos, mas ainda assim são facilmente entendidos.

O QUE É UM MERCADO?

Os mercados são lugares que reúnem compradores e vendedores. No entanto, os mercados não precisam ser lugares físicos. Os mercados existem sempre que houver interação entre compradores e vendedores, em um local físico, pelo correio ou através da internet. Várias condições devem ser atendidas para que os mercados funcionem eficientemente. As condições típicas para um mercado eficiente incluem um grande número de compradores e vendedores que agem de forma independente de acordo com o próprio interesse, informações perfeitas sobre o que está sendo negociado e liberdade de entrada e saída do mercado.

Eficiência do mercado

Os economistas discordam sobre a eficiência do mercado. Alguns argumentam que o preço de mercado captura efetivamente todas as informações disponíveis sobre o produto. Outros defendem que os preços não refletem todas as informações disponíveis. Eles argumentam que essa assimetria de informações prejudica a eficiência do mercado.

Grande número de participantes no mercado assegura que nenhum comprador ou vendedor tenha muita influência sobre o preço ou a quantidade negociada. É óbvio que, se houver um único vendedor ou um único comprador, eles conseguirão exercer uma influência considerável sobre os preços. Por exemplo, o Walmart tem o que é chamado poder de monopsônio sobre vários produtores. Como é o único varejista para esses produtores, o Walmart consegue usar esse poder para influenciar o preço que paga. Em mercados competitivos nenhum produtor ou consumidor exerce esse grau de influência.

O dinheiro fala mais alto

Monopsônio e monopólio
Um monopsônio é quando existe basicamente um único comprador para um produto. Um monopólio é quando existe basicamente um único vendedor para um produto.

Informações perfeitas implicam que tanto o comprador quanto o vendedor têm acesso completo aos custos de produção e perfeito conhecimento do produto, e não existem oportunidades para a arbitragem, que é comprar a preço baixo em um lugar e vender a preço alto em outro. Compare essa condição com a experiência de comprar um carro. É grande a probabilidade de que o vendedor tenha a maior parte das informações sobre o custo e as especificações do veículo, enquanto você, na melhor das hipóteses, possui informações limitadas para tomar a sua decisão de compra.

A liberdade de entrada e saída do mercado também aumenta a eficiência do mercado, pois permite a participação do maior número possível de compradores e vendedores. As exigências de licenciamento são um exemplo de uma barreira à entrada. Ao exigir licenças para vender ou produzir bens e serviços, o governo limita o número potencial de vendedores, resultando em menos concorrência e preços mais elevados.

MERCADOS COMPETITIVOS

Diversos fatores afetam a oferta e a procura, que, por sua vez, afetam o preço e a quantidade. Mudanças no mercado de um bem criam mudanças no mercado de outro bem. Isso acontece quando as mudanças de preço são comunicadas entre os mercados. Esse fenômeno deve ser levado em consideração quando os formuladores de políticas tentam influenciar os mercados, ou podem ocorrer consequências inesperadas.

Como dirigir um SUV poderia contribuir para a fome no sudeste da Ásia? Vários anos atrás, os preços da gasolina de repente começaram a subir. Em razão disso, houve considerável pressão política para aliviar o aperto nos bolsos de muitos norte-americanos. Em vez de dirigir menos ou diminuir os deslocamentos, muitos quiseram continuar com seu estilo de vida de dirigir veículos ineficientes sem ter de pagar preços mais elevados. De acordo com Thomas Sowell da Hoover Institution, os políticos e muitas pessoas gostam de ignorar o aforismo: "Nada nessa vida vem de graça". Então, eis o que aconteceu.

Com o aumento dos preços da gasolina, a demanda por combustíveis alternativos aumentou. Esse aumento na demanda por combustíveis alternativos foi muito popular entre os produtores de milho que tinham um produto chamado etanol. A fim de fornecer etanol a um custo menor, os produtores de milho pressionaram o Congresso para obter subsídios maiores. Isso resultou em mais terras destinadas à produção de milho em detrimento de outras culturas, ou seja, do trigo. Quando a oferta de trigo diminuiu e os seus preços subiram, o preço da safra substituta, o arroz, também subiu, pois agora havia mais procura por arroz. Isso fez com que o preço do arroz aumentasse a um ponto em que pessoas no sul e no sudeste asiático não pudessem mais comprar o seu alimento básico. A fome rapidamente irrompeu. Os mercados se comunicam entre si. Ninguém pretendia que a fome ocorresse, mas, quando as pessoas ignoram a escassez, consequências inesperadas podem acontecer e acontecem.

Explicação sobre modelos irrealistas

Você se lembra da primeira vez em que aprendeu sobre átomos na aula de ciências? O professor provavelmente desenhou um esboço no quadro-negro que parecia um modelo do sistema solar: um grande núcleo no meio orbitado por um minúsculo elétron. Mais tarde você provavelmente aprendeu que os átomos de fato não se parecem com o desenho do quadro-negro, mas o modelo que o seu professor lhe mostrou o ajudou a entender os átomos. Em economia, ao estudar os mercados, você começa aprendendo algo que é um pouco irrealista, mas um modelo simples de concorrência perfeita vai ajudá-lo a entender as condições do mundo real.

Condições

Determinadas condições são necessárias para o funcionamento de um mercado eficiente: um grande número de compradores e vendedores, cada um agindo de forma independente de acordo com o próprio interesse, informações perfeitas sobre o que está sendo negociado e liberdade de entrada e saída do mercado. Acrescente a essa lista que as empresas lidam com produtos idênticos e que elas são "tomadoras de preços" (isto é, elas não conseguem influenciar muito o preço), e agora você tem a concorrência perfeita.

Produtos idênticos significa que não existem diferenças reais na produção das empresas. Todas fabricam e vendem a mesma coisa. Pense em coisas como trigo, milho, arroz, cevada ou qualquer outro produto utilizado para fazer o cereal do café da manhã. O trigo cultivado por um agricultor não é significativamente diferente do trigo cultivado por outro agricultor.

Vantagens de mercados competitivos

Por que os mercados de concorrência perfeita são preferíveis a outros tipos de mercado? Os mercados de concorrência perfeita são aqueles que os economistas chamam de eficientes em termos de alocação de recursos. Os consumidores obtêm o máximo benefício ao menor preço sem criar nenhuma perda aos produtores. A concorrência perfeita também é eficiente em termos de produção, pois, em longo prazo, as empresas produzem ao menor custo total por unidade.

Os economistas referem-se às empresas como "tomadoras de preços" quando uma empresa não fixa o preço de sua produção, mas vende a sua produção ao preço de mercado. Lembre-se: um resultado, quando os mercados têm grande quantidade de pequenos compradores e vendedores diferentes, é que ninguém consegue influenciar o preço do produto.

OFERTA E PROCURA: COMPORTAMENTO DO CONSUMIDOR

No qual os economistas definem a felicidade

Os economistas estão sempre fazendo suposições sobre o comportamento das pessoas. Uma suposição que parece fazer sentido é de que as pessoas procuram ser o mais felizes possível. Na linguagem da economia, isso é chamado de maximização da utilidade. Quando os consumidores compram bens e serviços, eles o fazem para maximizar sua utilidade. A capacidade dos consumidores de maximizar a utilidade é limitada pela quantia que têm para gastar; isso é chamado de restrição orçamentária. Quando se trata do comportamento do consumidor, os economistas argumentam que os consumidores buscam maximizar sua utilidade sujeita à restrição orçamentária.

Ao estudar o comportamento do consumidor, é importante se concentrar em decisões marginais. Suponha que você esteja diante de uma tigela com seu doce favorito. Cada vez que você se beneficia ao consumir um pedaço, os economistas dizem que você está experimentando a utilidade marginal, mas você não se importa com o que os economistas dizem, pois está comendo doce e ficando gordo e feliz. Você poderia descrever esse sentimento como a obtenção de pontos de felicidade. Quanto mais doce você come, mais pontos de felicidade obtém. Você está maximizando sua utilidade.

Se alguma vez na vida você já se excedeu comendo doces, biscoitos, bolos ou sorvete, então deve saber que no início é agradável, mas, depois de algumas unidades (ou depois de uma dúzia), já não está tão feliz como no início. Os economistas referem-se a esse fenômeno como utilidade marginal decrescente. Em outras palavras, cada pedaço de doce que você come lhe dá menos pontos de felicidade que o pedaço anterior. A utilidade marginal decrescente é um conceito útil. Lance essa expressão na conversa da próxima vez que estiver em um jantar e veja o que acontece.

A utilidade marginal decrescente ajuda a explicar muitos de nossos comportamentos. Se uma bala de hortelã faz com que você tenha uma sensação refrescante na boca, então por que não comer 50? Resposta:

utilidade marginal decrescente. Se praticar exercício por uma hora é bom para a sua saúde, então por que não fazer exercícios por 24 horas seguidas? Novamente, a resposta é a utilidade marginal decrescente. Se uma gota de perfume faz você cheirar bem, por que não usar o vidro inteiro? Você adivinhou – utilidade marginal decrescente.

DEMANDA

Se você já assistiu a um leilão, então deve ter notado que há muito mais lances baixos por um item do que lances altos. Ou seja, as pessoas estão mais dispostas e em condições de pagar um preço baixo por um item do que pagar um preço alto. Essa disposição e capacidade de comprar algo recebe o nome de procura ou demanda. O fato de que mais pessoas estejam dispostas a comprar a preços mais baixos do que a preços mais elevados é chamado de lei da procura.

Motivos para a lei da procura
Três motivos explicam por que existe a lei da procura:

- utilidade marginal decrescente;
- efeito renda;
- efeito substituição.

Utilidade marginal decrescente
É fácil entender por que a utilidade marginal decrescente é uma explicação para a lei da procura. Quando você consome cada vez mais de um item, cada unidade sucessiva fornece menos utilidade, ou pontos de felicidade, do que a unidade anterior. Consequentemente, a única maneira de comprar mais de um item é se o preço for menor. Você consome até que o benefício marginal (utilidade) se iguale ao custo marginal (preço). Suponha que sua loja favorita de doces esteja com a oferta: "Compre dois e o terceiro sai pela metade do preço". Em um dia normal, você só compraria dois doces, pois o terceiro não vale a pena para você devido à utilidade marginal decrescente. No entanto, no caso da oferta de sua loja favorita, se ela diminui o preço ou custo marginal até o ponto de igualar ou ficar inferior ao da utilidade marginal ou benefício marginal, faz sentido para você comprar o terceiro doce.

Efeito renda

O efeito renda baseia-se na sua restrição orçamentária. À medida que o preço de um bem cai, o seu poder de compra aumenta. À medida que o preço aumenta, o seu poder de compra cai. O efeito renda explica a lógica por trás dos descontos e dos preços de liquidação. Quando os bens entram em liquidação a um preço menor, a sua renda limitada consegue comprar mais, e é exatamente isso que você faz.

Efeito substituição

O efeito substituição é outra explicação para a lei da procura. O efeito substituição diz que você substitui itens relativamente menos caros por itens relativamente mais caros. Por exemplo, imagine que você esteja no supermercado para comprar comida para cinco dias de refeição – três jantares com frango e dois com carne bovina. Se a carne bovina entrar em oferta, você pode substituir um dia da refeição com frango por carne. Então o que aconteceu? Aconteceu a lei da procura. Os preços da carne bovina estavam relativamente mais baixos e você comprou mais carne.

Elasticidade da demanda

Pense em todas as coisas que você compra em um ano. Você pode adquirir bens e serviços tão diversos como chicletes, consultas com médicos especialistas e carros. Às vezes, você está muito sensível ao preço e outras vezes não. Por exemplo, você estará mais propenso a procurar por um bom preço em um carro do que em uma consulta com médico especialista. Os economistas referem-se a essa sensibilidade ao preço como elasticidade da demanda.

- Quando você pode adiar a compra de um bem, se ele tem muitos substitutos próximos ou se toma uma grande porcentagem de sua renda, a demanda é geralmente sensível ao preço ou elástica.
- Se, porém, a compra deve ser feita imediatamente, não existe substituto próximo ou a compra não toma uma porcentagem significativa da renda, a demanda é insensível ao preço ou inelástica.

Compare uma operação emergencial de apêndice com uma plástica estética de rosto. Ambas são cirurgias, mas a demanda do consumidor por essas cirurgias é bastante diferente. A apendicite aguda não espera que você procure por um preço melhor na cirurgia. O preço é provavelmente a última coisa em mente quando você enfrenta essa situação. Sua demanda para a cirurgia é inelástica. A cirurgia plástica de rosto é uma questão completamente diferente. Em primeiro lugar, a compra pode ser adiada. Além disso, pode ter substitutos disponíveis, como botox e injeção de colágeno. Finalmente, como as cirurgias plásticas estéticas são opcionais e não são cobertas pela maioria dos planos de saúde, tendem a tomar uma grande porcentagem da renda. O resultado dessa combinação de fatores é que, para a maioria, a demanda da plástica estética de rosto é elástica.

OFERTA E PROCURA: NASCE O PREÇO

Encontrando um denominador comum para produtores e consumidores

Os consumidores demandam, os produtores fornecem. A oferta reflete a mudança na disposição dos produtores e sua capacidade de produzir ou vender com os diversos preços que ocorrem no mercado. Seja vendendo biscoitos, seja petróleo cru, o que o estimularia a produzir mais, um preço baixo ou um preço alto? Caso tenha respondido preço baixo, você pode rapidamente acabar quebrado. Contudo, se você respondeu preço alto, então pode ter uma chance de auferir lucro. A lei da oferta afirma que os produtores conseguem e estão dispostos a vender mais quando o preço aumenta. O motivo para a lei da oferta é o simples fato de que, à medida que a produção aumenta, o mesmo acontece com os custos marginais. Como indivíduos racionais e preocupados com os próprios interesses, os fornecedores só estão dispostos a produzir se forem capazes de cobrir seus custos.

ELASTICIDADE DA OFERTA

A elasticidade da oferta é a sensibilidade dos produtores às mudanças de preço sobre a quantidade que estão dispostos a produzir. O fator principal na elasticidade da oferta é o tempo que leva para produzir o bem ou serviço. Se os produtores conseguem responder rapidamente às mudanças de preço, a oferta é relativamente elástica. No entanto, se os produtores necessitam de um tempo considerável para responder às mudanças no preço de mercado de seu produto, a oferta é relativamente inelástica. Compare tortilhas de milho com vinho. As tortilhas de milho são facilmente produzidas com materiais prontamente disponíveis. Se o preço de mercado das tortilhas de milho subitamente aumentasse, os produtores teriam pouca dificuldade para produzir mais tortilhas em resposta à mudança de preço. Agora, se o preço de mercado do Pinot Noir subisse de repente, os vinicultores teriam muito mais dificuldade em responder à mudança de preço. As videiras levam anos para se desenvolver, as uvas demoram até amadurecer e o vinho necessita de tempo para envelhecer. Todos esses fatores dão à bebida uma oferta relativamente inelástica.

NASCE O PREÇO

Quando a oferta atende à demanda, acontece algo interessante. Nasce um preço. Em um mercado eficiente, os preços são função da oferta e procura para o bem ou serviço. Em vez de planejadores centrais, funcionários governamentais ou oligarcas que ditam preços artificiais ou fazem a dosagem de quem obtém o quê, o mercado se baseia nas forças impessoais da oferta e da procura para determinar preços e atender à função de dosagem. A competição de consumidores que tentam maximizar sua utilidade contra produtores que tentam maximizar seus lucros é o que determina o preço dos bens no mercado e também a quantidade comprada e vendida.

A oferta e a procura fazem a dosagem de bens e serviços de forma eficiente e justa. Os preços são eficientes porque são entendidos pela maioria dos participantes no mercado. Se você der 5 reais a uma criança e enviá-la a uma loja de doces, ela descobrirá o que pode comprar sem ter de pedir ajuda a ninguém. Um preço transmite muita informação. O preço de um bem comunica aos consumidores se eles compram ou não e aos produtores se eles produzem ou não. Os preços são justos porque são neutros; eles não favorecem nem o comprador nem o vendedor.

ENCONTRAR O EQUILÍBRIO

Um mercado é dito em equilíbrio quando, ao preço vigente, não há nem excedente nem escassez de um bem ou serviço. Quando essa condição está presente, então o preço é chamado de preço de equilíbrio ou *market-clearing*. O equilíbrio de mercado é o resultado mais desejável porque permite aos consumidores maximizar a utilidade e, ao mesmo tempo, permite aos produtores maximizar os lucros.

Há momentos em que o mercado não está em equilíbrio. Às vezes, o preço de mercado é maior do que o preço de equilíbrio.

Quando isso acontece, resulta um excedente. A quantidade ofertada pelos produtores é maior do que a quantidade demandada pelos consumidores. Você, assim como outras pessoas, já deve ter passado por uma loja que oferecia um saldão de blusas e deve ter se perguntado, "Quem usaria isso?". Inúmeras pessoas passaram por essas blusas, agora em excesso, antes que fossem colocadas no saldão. As pessoas passaram sem comprar porque o custo marginal da blusa para o consumidor era maior do que a utilidade marginal. O objetivo do saldão é oferecer essas blusas a um preço baixo o suficiente para induzir alguns indivíduos infelizes a comprá-las, na tentativa de maximizar sua utilidade.

Se o preço de mercado é muito baixo, então pode resultar em escassez. A escassez ocorre quando a quantidade demandada é maior do que a quantidade fornecida. Quando ocorre escassez no mercado, os compradores competem entre si para adquirir um item e aumentam o preço até que o equilíbrio seja alcançado. Os leilões aproveitam esse fenômeno, e o consumidor que mais quer o bem é que o obtém. Como você sabe que ele era o que mais queria? Ele ofereceu mais dinheiro. Os preços são justos, eficientes e eficazes na dosagem da maioria dos bens e serviços.

MUDANÇAS NA OFERTA E NA PROCURA

Tudo o que sobe, desce

Mudanças na oferta ou na demanda causam mudanças no preço e na quantidade. Com a mudança nos preços, os produtores se dispõem a produzir mais ou menos. O preço afeta a quantidade fornecida pelos produtores, mas não a oferta. Por exemplo, a oferta de café é influenciada por: clima, preços de terras, outros cafeicultores, preço futuro do café, lucros do cacau e subsídios aos produtores de café. A única coisa que não influencia a oferta de café é o preço atual do café. Isso muitas vezes causa confusão, mas não deveria. Entenda que a oferta se refere à disposição dos produtores de produzir várias quantidades a vários preços, e não a determinada quantidade fixa.

O QUE CAUSA MUDANÇA NA OFERTA

A oferta é influenciada pela natureza, preço dos insumos, concorrência, preços esperados, lucros relacionados e governo.

- A natureza desempenha papel importante na determinação da oferta de café. Chuva, sol, temperatura e doenças são exemplos óbvios de variáveis da natureza que afetam a colheita de café. Condições climáticas excelentes muitas vezes levam a grandes aumentos na oferta, e o mau tempo gera o oposto.
- Os preços dos insumos ou recursos têm uma influência direta nas decisões de oferta dos produtores. Terra, semente, fertilizantes, pesticidas, equipamento de colheita, mão de obra e armazenagem são apenas alguns dos custos que os produtores de café enfrentam. A oferta diminui quando esses custos aumentam, impossibilitando os produtores de produzir a cada um dos preços de mercado. A oferta aumenta quando o custo da produção cai.
- A presença de mais ou menos concorrência provoca aumentos ou diminuições na oferta. À medida que a popularidade do café aumentou, cada vez mais produtores entraram no mercado. A

introdução de mais concorrência aumenta a quantidade de café fornecida a cada preço de mercado.
- As expectativas de aumento no preço futuro tendem a diminuir a oferta, mas as expectativas de diminuições no preço futuro têm o efeito oposto. Se os produtores esperam preços maiores no futuro, eles estarão menos dispostos a fornecer no presente. Os cafeicultores podem reter a produção a fim de vender quando os preços forem maiores. Se a expectativa for de preços mais baixos no futuro, os produtores têm um incentivo para vender mais no presente.
- A lucratividade de bens e serviços correlatos também afeta a oferta de um bem como o café. Por exemplo, a terra para o cultivo de café também é favorável para o cultivo de cacau. Se os lucros são maiores no mercado de cacau do que no mercado de café, ao longo do tempo mais terras serão retiradas da produção de café e colocadas na produção de cacau. Da mesma forma, se os lucros no mercado de café forem maiores, eventualmente mais terras serão colocadas na produção de café em detrimento da produção de cacau.
- As políticas governamentais também podem afetar a oferta. O governo pode tributar, subsidiar ou regular a produção, e isso afeta a oferta. Se o Brasil quiser reduzir a produção local de café para restaurar as florestas, o governo brasileiro pode tributar a produção de café. Isso aumentaria o custo de produção e reduziria a oferta. Se o governo quiser incentivar a produção e aumentar a oferta, ele pode subsidiar os produtores, ou seja, pagá-los para produzir. O Vietnã poderia subsidiar a produção de café em suas terras altas para aumentar a oferta desse valioso produto de exportação. A regulamentação tem muitas vezes o efeito de limitar a oferta. Caso quisesse preservar suas florestas tropicais das terras altas, o Vietnã poderia estabelecer regras ou regulamentos que efetivamente limitassem a capacidade dos cafeicultores de produzir.
- A tecnologia e a disponibilidade de capital físico são determinantes fundamentais da oferta. A inovação tecnológica permitiu que os produtores de muitos setores diferentes aumentassem a quantidade de bens que estão dispostos e em condições de produzir a cada preço.
- Aumentos na quantidade de capital físico disponível em relação à mão de obra também ajudam as empresas a aumentar a

produção. Os economistas referem-se a esse fenômeno como aprofundamento do capital. Quando o aprofundamento de capital de uma empresa aumenta, o mesmo acontece com a oferta.

O dinheiro fala mais alto

Capital
Em economia, capital não se refere a dinheiro, mas a todas as ferramentas, fábricas e equipamentos utilizados no processo de produção. Capital é o produto do investimento.

O QUE CAUSA MUDANÇAS NA DEMANDA

Os gostos dos consumidores para bens e serviços estão sujeitos a mudanças e, quando essas mudanças acontecem, a demanda muda. Alguns anos atrás houve um recall de folha fresca de espinafre por causa da contaminação por E. coli. Essa contaminação efetivamente reduziu a demanda por espinafre fresco. A publicidade também pode afetar o gosto por bens e serviços. O ShamWow (toalha absorvente) é um caso exemplar. Os anúncios desse produto apareceram em vários canais de televisão. Depois de assistir a esse anúncio pela centésima vez, muitas pessoas decidiram que precisavam ter um. O aumento nas vendas de ShamWow não foi em resposta a alguma mudança no preço do produto, mas nos gostos dos consumidores devido à publicidade.

Complementares e substitutos
O preço de bens relacionados também pode afetar a demanda por determinado bem. Os bens relacionados são classificados como complementares ou substitutos. Complementares são bens utilizados em conjunto com outros, e substitutos são bens utilizados no lugar de outros. Entradas de cinema e balas Mentex são complementares. Quando os preços das entradas de cinema aumentam, as pessoas ficam menos dispostas a comprá-las e ir ao cinema. Portanto, há menor demanda por Mentex. Se os preços das entradas caem, ocorre o contrário. Viagens aéreas e de ônibus são bens substitutos. À medida que os preços das passagens aéreas caem, a procura por

passagens de ônibus diminui, e, quando os preços das passagens aéreas sobem, a demanda por passagens de ônibus aumenta.

Elasticidade cruzada da demanda

Determinar se os bens são substitutos ou complementares não é uma questão de opinião. Os economistas calculam a elasticidade cruzada dos preços para determinar se bens são complementares ou substitutos dividindo a variação porcentual da quantidade demandada de um bem pela variação porcentual no preço de outro bem. Se a elasticidade cruzada dos preços for inferior a zero, os bens são complementares e, se a elasticidade cruzada dos preços for superior a zero, os bens são substitutos.

Bens normais e inferiores

Mudanças nos rendimentos dos consumidores levam a mudanças na demanda. Se a renda e a demanda se movem na mesma direção, você está lidando com um bem normal. Se a renda e a demanda se movem em direções opostas, o bem é considerado inferior. Se o leite orgânico é um bem normal e o leite em pó é um bem inferior, que efeito um aumento na renda dos consumidores terá sobre a demanda para os dois? A demanda por leite orgânico aumenta com o aumento da renda e a demanda por leite em pó diminui com o aumento da renda.

O número de compradores está diretamente relacionado com a demanda por bens e serviços. À medida que o número de compradores aumenta, o mesmo ocorre com a demanda, e vice-versa. Essa relação óbvia deve ser considerada, por exemplo, antes de investir no mercado imobiliário russo, pois a população nesse país está encolhendo.

Os preços esperados podem ter uma influência direta sobre a demanda por bens e serviços. Se os investidores acreditam que o preço de uma ação subirá no futuro, a demanda por essa ação aumentará. Da mesma forma, se a expectativa for de que o preço de uma ação caia, a demanda pela ação diminuirá.

CONTABILIDADE *VERSUS* ECONOMIA

Você diz batata, eu digo rabanete

Um contador perguntou a uma economista por que ela havia escolhido uma carreira em economia em vez de contabilidade. Ela respondeu: "Eu sou boa com números, mas não tenho personalidade suficiente para ser contadora". Diferenças de personalidade à parte, uma distinção fundamental entre economia e contabilidade está na determinação do custo total e do lucro. Para o contador, os custos totais são a soma de todos os custos de produção fixos e variáveis explícitos – coisas como o custo da argila para fazer os vasos de cerâmica que você vende. Os custos explícitos são facilmente identificáveis e quantificáveis. O custo das despesas gerais é uma quantidade conhecida. O custo da mão de obra pode ser facilmente calculado.

Além disso, para o contador, o lucro é igual à receita total menos o custo total. Se a sua empresa gera 1 milhão de reais em receitas (o que ela obtém por meio de vendas) e tem custos fixos e variáveis iguais a 800 mil reais, então seu lucro é igual a 200 mil reais. Seu foco será maximizar as receitas e reduzir os custos de produção. Isso aumentará os lucros.

Para o economista, porém, o custo total é igual a todos os custos fixos e variáveis explícitos *mais* o custo de oportunidade. O custo de oportunidade é um custo implícito e pode ser muito mais difícil de definir e quantificar do que os custos explícitos de produção. Para o economista, o lucro é igual à receita total menos o custo total, incluindo o custo de oportunidade. Levar em conta o custo de oportunidade dá uma visão mais clara não apenas quanto ao negócio ser rentável, mas se é o melhor uso dos recursos.

UM CASO EM QUESTÃO

Imagine que você seja uma professora que ganha 5 mil reais por mês e decida deixar o emprego e vender raspadinha na praia em vez de dar aulas. Você compra o carrinho para circular pela praia, encomenda todos os suprimentos que precisa e paga a taxa de licença exigida pela prefeitura. Suponha que seu custo total seja igual a 2 mil reais. Então você vai à praia e começa a vender raspadinhas, e realmente é boa no que faz. No fim do mês, calcula que ganhou 6 mil reais em receita total. Qual é o seu lucro contábil? É 6 mil reais de receita total – 2 mil reais de custo total = 4 mil reais de lucro contábil.

Qual é o seu lucro econômico? É 6 mil reais de receita total – 2 mil reais de custo explícito – 5 mil reais de custo de oportunidade = – 1 mil reais de prejuízo econômico. O custo de oportunidade é o que você poderia ter ganhado como professora.

Nesse exemplo, sabíamos o salário que a professora ganhava, logo, pudemos calcular o custo de oportunidade mais facilmente. Mas e se a situação fosse um pouco diferente? Suponha que a professora estivesse vendendo raspadinha no verão e não durante o ano letivo, de modo que seu salário de professora não fosse afetado. Ela poderia estar desistindo de outras oportunidades, mas talvez não estivessem claros quais seriam essas oportunidades ou quanto ela poderia ganhar com essas atividades. Qual é a remuneração atual para aulas particulares, uma atividade de verão comum para professores? Talvez varie de 10 reais por hora a 100 reais por hora, dependendo de diversos fatores. Ou talvez as atividades não gerem renda – talvez ela pudesse ficar deitada na praia, recuperando as energias para ficar pronta para outra rodada de aulas no outono.

Em outro cenário, suponha que nossa vendedora de raspadinha fosse um garoto de 16 anos de idade. Em vez de vender raspadinhas, o que mais ele poderia estar fazendo? Passeando com cachorros ou entregando jornais? (será que alguém ainda entrega jornais?). Nesse caso, o custo de oportunidade é provavelmente próximo de zero.

Receita e lucro

Muitas pessoas confundem os conceitos de receita e lucro. A receita é toda a renda que se ganha em um negócio. Para uma empresa que vende um único tipo de produto a um preço, a receita é igual à quantidade vendida multiplicada pelo preço. Se você tem cem maçãs e as vende por 1 real cada, então sua receita total, supondo que você venda todas as maçãs, é de 100 reais. O lucro, por outro lado, é a renda que sobra para a empresa depois de cobrir todos os custos. Receita – Custo = Lucro.

Os lucros econômicos em um setor de atividade são importantes porque fornecem às empresas de outros setores um incentivo para empregar suas propriedades, trabalho, capital e capacidade empreendedora no setor economicamente rentável. Lucros econômicos atraem recursos para um uso mais eficiente. No longo prazo, a concorrência elimina os lucros econômicos. A indústria é mais eficiente quando os lucros econômicos são iguais a zero. Com lucro econômico zero não há incentivo para que as empresas saiam do mercado ou para que novas empresas entrem. No exemplo que acabamos de apresentar, o prejuízo econômico de mil reais é um sinal para que você saia do segmento de raspadinhas porque os seus recursos poderiam ser mais bem usados em outro setor. No entanto, para o garoto cuja alternativa é aparar grama, fazer raspadinhas é uma maneira tão eficiente de usar seus recursos quanto as outras opções disponíveis, de modo que ele não tem nenhum incentivo para sair do mercado.

A FUNÇÃO PRODUÇÃO
A única coisa constante é a mudança

As empresas frequentemente têm que tomar decisões sobre a produção em resposta às condições do mercado. Se o preço do chá subir, será que a *Chá Verde Ltda.* deve esperar menos demanda por seus saquinhos de chá e, portanto, decidir não contratar uma nova pessoa para preencher uma vaga que estava sobrando na linha de produção? Será que um grande pedido de tablets indica agora que a capacidade de produção da *Eu Amo Eletrônica Ltda.* deva ser aumentada para lidar com grandes encomendas futuras, ou esse pedido é apenas uma irregularidade?

Tanto a microeconomia quanto a macroeconomia fazem distinções entre decisões de produção no curto prazo e no longo prazo. Essas distinções têm muito pouco a ver com algum período fixo de tempo; na verdade, baseiam-se na capacidade das empresas de fazer mudanças em seus insumos.

O LONGO PRAZO E O CURTO PRAZO

O curto prazo é definido como o período de tempo em que as empresas conseguem variar *apenas um* dos insumos para a produção, geralmente o trabalho. O longo prazo é o período em que as empresas conseguem variar todos os insumos no processo de produção.

Se você for gerente administrativo de um restaurante, no curto prazo (hoje e na próxima semana) só pode adicionar ou subtrair trabalhadores para ajustar o nível de produção. Se o seu estabelecimento estiver lotado, você programa ou convoca mais funcionários. Se o seu estabelecimento estiver devagar, você manda os funcionários para casa. O longo prazo é o período em que você consegue ampliar a cozinha ou adicionar novos equipamentos. Assim, em resposta a um aumento na atividade empresarial, no curto prazo você pode programar mais trabalhadores, mas no longo prazo você consegue fazer um restaurante maior.

As decisões de produção de curto prazo de uma empresa baseiam-se na função produção de uma empresa. A função produção mostra como a produção de uma empresa muda à medida que faz mudanças em um único insumo, como o trabalho.

As fases da função produção

A função produção é dividida em três fases distintas com base no que acontece com a produção ou o produto da empresa:

1. A primeira fase da função produção ocorre quando as empresas têm retornos crescentes. Isso significa que, à medida que a empresa adiciona trabalhadores, cada trabalhador adicional contribui mais para a produção do que o trabalhador anterior. A contribuição adicional para a produção de cada trabalhador é chamada produto marginal. Assim, na fase de retornos crescentes, tanto a produção quanto o produto marginal aumentam. Se um funcionário que trabalha sozinho consegue produzir dez velas por dia na *Vela Feliz Ltda.*, mas um segundo trabalhador consegue produzir (por meio dos milagres da divisão do trabalho e da produção em massa) 15 velas por dia, significa um aumento na produção e na produção marginal e é um indicativo de que a empresa está na fase de retornos crescentes.
2. A segunda fase da produção é chamada de retornos decrescentes. Nela, à medida que a empresa aumenta o número de trabalhadores, a produção ainda aumenta, mas a contribuição adicional de cada trabalhador diminui. Quando a *Vela Feliz Ltda.* contrata seu 50º funcionário, ele pode conseguir produzir 15 velas por dia, mas esse nível de produção (embora perfeitamente satisfatório) não contribui mais para a produção do que o trabalhador anterior contribuía. Talvez, no momento em que a *Vela Feliz Ltda.* contratasse o seu 100º funcionário, esse empregado passasse a produzir menos do que o funcionário de número 50, mas ainda acrescentaria para o lucro final total (produção) da empresa.
3. Finalmente, a empresa passa pela terceira fase da produção, chamada de retornos negativos. Aqui, à medida que a empresa adiciona trabalhadores, tanto a produção quanto o produto marginal diminuem. Caso já tenha trabalhado em uma grande empresa com um quadro hierárquico com muitos gerentes no nível intermediário, consegue imaginar como isso pode acontecer.

Função produção ilustrada

Para ilustrar a função produção, imagine um restaurante em um dia útil normal. Suponha que você seja o gerente responsável pela programação dos turnos dos funcionários, mas não tem experiência e é um pouco lento para perceber as coisas. Às seis horas chega o primeiro cliente para o café da manhã. Você imediatamente chama um de seus funcionários e o coloca para trabalhar. O funcionário 1 consegue preparar a comida, servi-la e, em seguida, ficar no caixa para a transação. Mais tarde, quando mais clientes chegam e começam a demandar serviço, a necessidade de mais ajuda fica evidente para você. Pelo celular, você chama os funcionários 2 e 3 para trabalhar. Quando eles chegam e começam suas funções, desenvolve-se uma divisão de trabalho, o que aumenta a produtividade individual e a produtividade total do restaurante.

Testemunhando o maravilhoso resultado, você conclui que mais é sempre melhor e decide chamar os funcionários 4 a 7. Quando eles começam a trabalhar, você nota que o restaurante consegue servir mais clientes, mas os ganhos anteriores em produtividade começam a diminuir. Você considera esses ganhos decrescentes como um acaso e, para romper esse impasse, traz os funcionários 8 a 256. Em pouco tempo, a cozinha do restaurante se enche de funcionários praticamente imobilizados como sardinhas em lata. Os clientes estão agora irritados com o serviço extremamente lento e um pouco assustados com sua falta de capacidade de gestão. De fato, com 256 funcionários você não consegue produzir nada. Isso é chamado de retornos negativos.

CONTROLE DE CUSTOS
Por causa do lucro

As empresas se esforçam para auferir o maior lucro possível. Chame isso de Lei de Gordon Gekko, "A Ganância é Boa" (do filme *Wall Street – Poder e cobiça*). As empresas procuram aumentar a lucratividade tentando aumentar as receitas e diminuir os custos. Em um ambiente competitivo, as empresas não conseguem fazer muito para aumentar as receitas. Se a Target vender papel higiênico Marca Bonita a 1 dólar por pacote com quatro unidades, o Walmart também terá de vender o papel higiênico Marca Bonita por cerca de 1 dólar por pacote com quatro unidades. Eles não têm poder para fixar o preço. No entanto, as empresas têm a capacidade de controlar os custos, de modo que para maximizar seu lucro tentam produzir ao menor custo possível.

Pense nisso da seguinte maneira: se você quer ter dinheiro suficiente no banco para se aposentar um dia, pode tentar trabalhar para conseguir um aumento (ou um emprego melhor com um aumento de salário), mas você pode não ter muito controle sobre isso – seu chefe/empresa é que determina quanto de aumento você poderá obter, se é que lhe darão um aumento, e sua capacidade de conseguir um emprego com salário melhor depende de onde você mora, suas referências, sua experiência de trabalho, quão competitivo é o seu mercado de trabalho e outros fatores. No entanto, mesmo que pudesse facilmente obter um aumento de salário, provavelmente não conseguiria cortar o Netflix e economizar algum dinheiro dessa maneira.

O dinheiro fala mais alto

Depreciação
À medida que o capital envelhece, seu valor diminui, pois ele se degrada e eventualmente precisa ser substituído.

TIPOS DE CUSTO

Os economistas dividem os custos em diferentes categorias:

1. A primeira categoria de custos corresponde aos custos fixos ou despesas gerais. Os custos fixos de uma empresa não mudam independentemente do nível de produção. Aluguel, IPTU, salários da administração e depreciação são exemplos. Se a fábrica estiver funcionando com capacidade total ou com ociosidade, as despesas gerais permanecem as mesmas.
2. As empresas também enfrentam custos variáveis. Os custos variáveis mudam com o nível de produção de uma empresa. Serviços públicos, salários por hora e os impostos por unidade são representativos dos custos variáveis. À medida que a produção de uma empresa aumenta, o mesmo acontece com seus custos variáveis.
3. O custo total é a soma dos custos fixos e variáveis de uma empresa.

Você se lembra de que dissemos anteriormente que os economistas também consideram o custo de oportunidade ao calcular a rentabilidade? Esqueçam isso por enquanto. Para os propósitos desta discussão sobre custos, estamos considerando o lucro exatamente da mesma forma que um contador. Receitas – Custos (Fixos e Variáveis) = Lucro.

Custos a longo prazo

No longo prazo, todos os custos são variáveis. No decorrer do tempo, as empresas conseguem adicionar ou subtrair capital, renegociar o aluguel e alterar os salários da administração. A distinção entre custos fixos e variáveis desaparece com o passar do tempo.

Custo marginal de produção

O custo marginal de produção é de especial interesse para os economistas. O custo marginal é a variação do custo total para cada unidade produzida. Pense no custo marginal como o custo adicional de produzir mais um item. Para cada unidade adicional de produto que uma empresa produz, ela incorre em mais custos variáveis e, portanto, mais custo total. Isso significa que o seu custo marginal também aumenta. Por exemplo, cada Big Mac custa mais para produzir do que o Big Mac anterior, porque o McDonald's tem de pagar por mais ingredientes e pagar mais aos seus funcionários pelo tempo extra que levou para produzir o Big Mac adicional.

Receita marginal

Empresas como o McDonald's maximizam seus lucros quando produzem a um ponto em que o custo marginal é igual à receita marginal. Em outras palavras, se quiser obter o maior lucro possível, uma empresa produzirá até o ponto em que o custo adicional de produzir mais um item é o mesmo que a receita adicional gerada pela produção de mais um item.

Se o custo adicional de preparar "mais um hambúrguer" é de 0,99 real (por exemplo) e esse hambúrguer pode ser vendido por esse mesmo preço, então o custo marginal e a receita marginal são iguais. Este é o lugar feliz com que os economistas sonham. Se o custo adicional da preparação de "mais um hambúrguer" for, na verdade, de 1,29 real e a venda dele só puder gerar receita de 0,99 real, o McDonald's terá que dar algumas explicações aos seus acionistas e provavelmente, em breve, buscará um novo CEO.

CONCORRÊNCIA PERFEITA NO CURTO PRAZO
Vamos fazer de conta!

A concorrência perfeita é o tipo de situação hipotética da qual os economistas gostam de falar, embora isso exista no mesmo reino de conto de fadas dos unicórnios e dragões marinhos. A concorrência perfeita é a ideia inventada de que as empresas se comportarão de determinadas maneiras se estipularmos que todas elas em um setor específico estejam em igualdade de condições. A teoria da concorrência perfeita permite que os economistas descrevam o que aconteceria se as pessoas estivessem dispostas a apenas escutá-los. Essas palestras de economia geralmente incluem gráficos que contêm fórmulas complicadas, mas vamos omiti-los aqui. Seja bem-vindo.

A CONCORRÊNCIA PERFEITA EM QUATRO PARTES FÁCEIS DE COMPREENDER

O que constitui a expressão que já mencionamos "em igualdade de condições"? Para iniciantes:

- Os consumidores e os produtores têm conhecimento perfeito – eles sabem tudo o que é preciso saber sobre o produto e o mercado – e tomam decisões racionais. Isso significa que os consumidores tentam maximizar a utilidade (isto é, os pontos de felicidade) e os produtores tentam maximizar os lucros, e ambos dispõem de todas as informações de que precisam para conseguir fazer isso.
- As empresas podem entrar e sair do mercado, sem barreiras. Aqui fingimos que as empresas não precisam implorar aos capitalistas de risco por recursos de investimento ou fazer liquidações para "deixar o negócio".
- Todos os produtores fazem coisas ("produção" ou produtos acabados) idênticas e todos eles têm insumos (por exemplo, mão de obra) iguais. No Mundo da Concorrência Perfeita, um par de Keds e um par de sapatos Dolce & Gabbana são exatamente

equivalentes e requerem exatamente os mesmos recursos para ser produzidos.
- Muitos produtores concorrem na mesma área, o que significa que nenhum produtor (empresa) tem poder de estabelecer os preços – nenhum é suficientemente grande ou monopolista o suficiente para controlar os preços. Todos estabelecem os preços de seus bens em relação a todos os outros. Se a *Café Azul do Mar Ltda.* vende um quilo de café arábica por 20 reais, então a *Café Rosa Branca Ltda.* terá de vender seus grãos de café arábica por aproximadamente o mesmo valor ou a empresa não terá comprador. Lembre-se de que nesse cenário todos os produtos são iguais e todos os consumidores têm conhecimento perfeito, de modo que sabem que o *Café Azul do Mar Ltda.* é tão bom quanto o *Café Rosa Branca Ltda.*

Em outras palavras, as empresas devem concorrer entre si sem quaisquer vantagens (ou desvantagens). O resultado é que o setor econômico é que define o preço, e não as empresas individuais, e a demanda é perfeitamente elástica (lembre-se de que se um bem possui muitos substitutos aceitáveis, a demanda é sensível ao preço, o que é outra maneira de dizer que a demanda é elástica).

CONCORRÊNCIA E CURTO PRAZO

Para um setor econômico, o curto prazo é o período de tempo em que as empresas não conseguem entrar ou sair do mercado porque só são capazes de alterar a sua mão de obra e não o seu capital fixo. Ou seja, se a demanda despencar, a empresa não consegue reduzir rapidamente seus custos fixos; se a demanda disparar, a empresa não consegue expandir rapidamente para produzir mais. No curto prazo, é possível que as empresas em um setor de concorrência perfeita ganhem lucros econômicos ou mesmo operem com uma perda à medida que muda a oferta e a demanda para a produção do setor inteiro.

Por exemplo, suponha que o setor de rosquinhas com cobertura de glacê seja de concorrência perfeita. Imagine que cientistas que trabalham na Nova Zelândia descubram que rosquinhas com glacê, acompanhadas por café, são extremamente benéficas para a saúde dos consumidores. Em função dessa grande notícia, a demanda por rosquinhas aumenta. Isso resulta em um novo preço de equilíbrio mais elevado. Lembre-se de que o preço de mercado representa receita marginal da empresa; portanto, para as empresas do setor de rosquinhas, sua receita total aumentou mais do que o seu custo econômico total. Isso significa que as empresas de rosquinhas com cobertura de glacê estão ganhando lucros econômicos.

Passados seis meses, cientistas da Califórnia revelam que a pesquisa anterior da Nova Zelândia sobre rosquinhas tinha falhas e que, na verdade, consumir grande quantidade de rosquinhas com cobertura de glacê, acompanhadas por café, pode representar um risco para a saúde dos consumidores. Em primeiro lugar, há a negação; em seguida, os consumidores lentamente despertam para a realidade e notam que estão 25 quilos mais pesados e com dificuldades para dormir. Nesse ponto, a demanda por rosquinhas com cobertura de glacê cai abaixo de seu equilíbrio original. Para muitas empresas do setor, essa redução no preço de mercado significa que estão produzindo agora com um prejuízo no curto prazo, pois sua receita total é menor do que seu custo total de produção.

CONCORRÊNCIA PERFEITA NO LONGO PRAZO

A corrida para o zero

Ao contrário do curto prazo, no longo prazo as empresas conseguem entrar e sair do mercado. Novas empresas entram no mercado em resposta à presença de lucros econômicos, e empresas antigas saem do mercado em resposta a perdas. Ainda com o exemplo das rosquinhas com cobertura de glacê da seção anterior, considere que, à luz da pesquisa da Nova Zelândia, os lucros econômicos no setor de rosquinhas com cobertura de glacê atrairiam novas empresas para o setor. À medida que entram novas empresas, a concorrência aumenta, o que significa que a oferta do setor também aumenta. O aumento da oferta reduz o preço de equilíbrio das rosquinhas e os lucros econômicos desaparecem.

Considerando a pesquisa da Califórnia, diante das perdas econômicas, algumas empresas chegarão ao ponto de encerrar as atividades e se retirar do setor. Esse cenário reduz a concorrência e diminui a oferta do setor de rosquinhas com glacê. A oferta diminuída aumenta o preço de equilíbrio no mercado. No final, menos empresas permanecem à medida que o setor retorna ao seu equilíbrio de longo prazo com lucro econômico zerado.

DA CONCORRÊNCIA PERFEITA À IMPERFEITA: UM *CONTINUUM*

A concorrência perfeita realmente não existe. É improvável que você encontre um setor de atividade em que todas as condições para a concorrência perfeita sejam atendidas. No entanto, a concorrência perfeita fornece um exemplo com o qual comparar as estruturas de mercado que efetivamente existem. Embora não seja real, ela fornece um bom quadro de referência.

A evolução dos mercados

O *continuum* das estruturas de mercado pode ser considerado uma evolução dos mercados. As empresas podem começar em um mercado bastante competitivo e, ao longo do tempo, tornar-se monopolistas. O final do século XIX e o início do século

XX testemunharam a ascensão dos trustes de empresas anteriormente concorrentes. Alguns até pediram o fim da "concorrência ruinosa".

A maioria das empresas enfrenta barreiras à entrada, seja em termos de custo, seja em termos de exigências governamentais. As empresas raras vezes lidam com produtos idênticos, pois investem pesadamente na sua diferenciação em relação à concorrência. Essa capacidade de diferenciação dá às empresas alguma capacidade de afetar os preços. Em mercados maduros como os Estados Unidos, as empresas tendem a ser grandes e não necessariamente independentes. Por fim, o acesso à informação não é igualmente compartilhado e, portanto, a condição de informação perfeita também não existe. O que sobra não é a concorrência perfeita, mas a concorrência imperfeita.

Os economistas classificam os mercados de acordo com o seu grau de concorrência. Em uma extremidade do espectro estão os mercados de concorrência perfeita, embora fictícios. Na outra extremidade do *continuum* está o monopólio. No meio você encontra as estruturas de mercado que são mais conhecidas, a concorrência monopolística e o oligopólio.

Concorrência monopolística

A concorrência monopolística é uma estrutura de mercado muito semelhante à concorrência perfeita. Há muitos compradores e vendedores, as barreiras à entrada são mínimas, ou pelo menos iguais para todas as empresas, e as informações estão prontamente disponíveis. No entanto, na concorrência monopolística, as empresas não oferecem produtos idênticos, procurando diferenciar seus produtos da concorrência. A diferenciação de produtos é o processo pelo qual os produtores conseguem convencer os consumidores de que seu produto específico é diferente dos produtos de outros fabricantes.

O setor que deve vir à mente quando você pensa em concorrência monopolística é o de *fast-food*. Esse setor tem muitos produtores diferentes que concorrem pelo dinheiro de muitos consumidores diferentes. Todos são bem-vindos para iniciar um restaurante de *fast-food*, desde que paguem as licenças necessárias. A maioria dos produtores tem uma boa ideia sobre onde estão se metendo e os clientes costumam entender muito bem os produtos. Por que o setor de *fast-food* é de concorrência monopolística? Diferenciação do produto. Cada empresa oferece um cardápio diferente. Taco Bell, Chick-fil-A, McDonald's e

Subway concorrem entre si no mercado de *fast-food* oferecendo aos clientes uma variedade de opções. A diferenciação de produtos é uma das razões pelas quais os novos participantes conseguem sobreviver nesse setor de concorrência feroz. Se você for suficientemente diferente, então pode ter uma chance.

Da próxima vez que estiver na seção de frutas do supermercado, dê uma olhada nas variedades de maçãs disponíveis. Você se lembra da época em que elas eram vermelhas ou verdes? Hoje há Argentina, Pink Lady, verde, Gala, Fuji e Honeycrisp, para citar algumas. Além disso, há pequenas, médias e grandes. Há as orgânicas e as tratadas com pesticidas. Algumas são vendidas individualmente e outras são embaladas. Os produtores de maçã têm diferenciado seus produtos. Por quê? Você se lembra de como as empresas competitivas não conseguiam influenciar os preços? Quando os produtores diferenciam os seus produtos e são bem-sucedidos, eles conseguem cobrar um preço mais elevado do que a sua concorrência.

Monopólios e lucro

As empresas em concorrência monopolística conseguem manter lucros econômicos em longo prazo? Não. Ao longo do tempo, a presença da concorrência acabará por corroer os lucros da empresa em concorrência monopolística. O resultado final é um setor com excesso de capacidade, alto custo e nenhum lucro econômico.

O problema com a diferenciação do produto é que se torna um processo que nunca acaba. As empresas devem continuamente encontrar maneiras de se diferenciar. Isso explica por que elas gastam grandes quantias em publicidade. Grande parte da publicidade não é bem uma tentativa de conquistar novos clientes, mas um esforço para construir a fidelidade à marca. No entanto, as empresas têm recursos limitados; assim, o envolvimento na diferenciação de produto por meio de publicidade significa que os recursos utilizados em publicidade não estão mais disponíveis para a produção. Consequentemente, as empresas em concorrência monopolística não produzem tanto quanto poderiam se estivessem em um mercado de concorrência perfeita. Os consumidores perdem o que poderia ser. Mas não se preocupe; parece que os consumidores têm uma forte preferência pela variedade trazida pela concorrência monopolística, e assim os benefícios podem pelo menos igualar os custos.

OLIGOPÓLIOS E MERCADOS DE CONCORRÊNCIA IMPERFEITA
Dominar o mundo ou morrer!

Muitas das empresas com as quais você está mais familiarizado não existem em mercados de concorrência perfeita ou mesmo em mercados altamente competitivos. Os principais fabricantes de automóveis, as companhias aéreas, as empresas de telecomunicações, os produtores de alimentos e os varejistas de desconto concorrem em uma estrutura de mercado de oligopólio – ou seja, um mercado com poucos concorrentes.

No âmbito municipal, muitos dos serviços públicos que você utiliza são monopólios. O oligopólio e o monopólio são estruturas de mercado comuns nos Estados Unidos. Na seção anterior descrevemos brevemente os monopólios. Agora vamos analisar os oligopólios. Para saber como funciona a economia norte-americana, você precisa de uma boa compreensão sobre essas estruturas de mercado de concorrência imperfeita.

OLIGOPÓLIO

O oligopólio descreve um mercado que alguns grandes produtores dominam. Ao contrário dos mercados competitivos e de concorrência monopolística, as empresas oligopolistas têm mais poder de fixação de preços. Além disso, o oligopólio é caracterizado pelas barreiras consideráveis à entrada, devido à enorme dimensão das empresas. O oligopólio é muitas vezes o resultado de mercados maduros anteriormente competitivos. À medida que as empresas de concorrência monopolística crescem e se fundem com outras empresas, sobram menos organizações. Os oligopólios são motivo de preocupação para os reguladores governamentais que tentam preservar e reforçar a concorrência nas indústrias.

Perda de competição
Por que é importante que as empresas se fundam, os setores amadureçam e os mercados se tornem oligopolistas? À medida que a

concorrência diminui, ocorrem vários efeitos negativos. Os preços tornam-se mais elevados, e a eficiência produtiva e a de alocação de recursos, que beneficiam a sociedade, são perdidas. Observe como essas são indústrias em que os consumidores tendem a não gostar dos produtores (alguém já gostou de uma companhia aérea da mesma maneira como gosta de um cookie com pedaços de chocolate?). Uma coincidência interessante, você não acha?

Para determinar se um mercado satisfaz a condição de oligopólio, os economistas calculam o Índice de Herfindahl-Hirschman (HHI) para o mercado. Um índice relativamente baixo identifica o mercado como competitivo, e um índice relativamente alto indica oligopólio. Nos Estados Unidos, a Comissão Federal de Comércio (Federal Trade Commission – FTC) e o Departamento de Justiça podem utilizar o índice como forma de determinar se aprova ou não fusões entre empresas de um setor. Se a fusão aumentar significativamente o HHI, então é bem provável que ela seja bloqueada porque reduziria a concorrência.

Reguladores e economistas também utilizam os índices de concentração para determinar se um mercado é oligopolista. Quanto mais o mercado é dominado por poucas empresas, maior o índice de concentração. Por exemplo, se o índice de concentração para quatro empresas for de 80%, então as quatro maiores empresas terão 80% de participação de mercado. De acordo com o censo de 2002 realizado nos Estados Unidos, o índice de concentração para quatro empresas no setor de aspiradores de pó era de 78% e o índice de concentração para oito empresas era de 96,1%. É seguro dizer que o setor de aspiradores de pó é um exemplo de oligopólio. A título de comparação, um setor de concorrência perfeita teria um índice de concentração para quatro empresas de aproximadamente 0% e um setor dominado por um monopólio teria um índice de concentração para uma empresa de 100%.

O que define um setor econômico?

O que define um setor econômico para fins de determinação do índice de concentração? Depende. Hoje a definição de setor está se tornando turva. No passado, o setor de jornais era uma indústria. Hoje faz parte de uma indústria maior conhecida como mídia. Mesmo que o jornal local possa ter 100% de participação de mercado entre os jornais locais, outras formas de mídia reduzem sua participação efetiva no setor como um todo.

A grande participação de mercado que os oligopolistas desfrutam molda a maneira como eles veem o mercado. Ao contrário das empresas em estruturas de mercado mais competitivas que se comportam independentemente umas das outras, os oligopolistas têm uma relação de interdependência entre si. Como os oligopolistas controlam muita participação de mercado, suas decisões individuais têm impactos consideráveis nos preços de mercado. Sabendo disso, o oligopólio tende a ficar mais atento à concorrência e leva isso em conta ao tomar decisões sobre produção e preços.

CONLUIO E CARTÉIS
Dominar o mundo ou morrer! Revisitado

Uma das bênçãos da concorrência é que ela leva a preços mais baixos para os consumidores. Para o produtor, no entanto, isso é uma maldição. Preços baixos muitas vezes significam lucros baixos. Se houvesse uma opção entre concorrência e cooperação, as empresas que maximizam os lucros prefeririam mais frequentemente a cooperação. Independentemente do que você aprendeu no jardim de infância sobre cooperação, não deve querer que as empresas das quais você compra cooperem entre si, pois elas poderiam decidir que o chocolate deveria custar 100 reais por quilo ou poderiam concordar em desacelerar a produção para criar uma escassez artificial. É no seu melhor interesse que as empresas concorram entre si para provocar aqueles preços bem baixos de que os consumidores tanto gostam. Adam Smith, o pai do capitalismo moderno, alertou que nada de benéfico pode vir de chefes de negócios reunidos, e a história tem provado que ele estava certo.

O dinheiro fala mais alto

Cartel
Um grupo de produtores que concordam em cooperar em vez de concorrer entre si. Os cartéis buscam lucros maiores para seus membros, reduzindo coletivamente a produção para aumentar os preços.

Conluio
Nos Estados Unidos as empresas estão proibidas de cooperar para fixar preços ou produção. Os abusos dos trustes do final do século XIX e início do século XX foram a gota d'água para a "dissolução dos trustes" ("*trust busting*") determinada pelo presidente Theodore Roosevelt. Com a Lei Sherman Antitruste e, mais tarde, com a Lei Clayton Antitruste, o governo proibiu totalmente o conluio e outras práticas de negócios que reduzissem a concorrência.

O dinheiro fala mais alto

Conluio

Conluio significa qualquer tipo de conspiração ilegal. Para os economistas, o conluio também implica a intenção de enganar ou fraudar os consumidores (e outros) ao reduzir artificialmente a concorrência.

Embora isso viole a lei, de vez em quando as empresas entram em conluio a fim de fixar os preços. As empresas em conluio podem dividir o mercado para beneficiá-las. Elas evitam a concorrência, fixam preços mais elevados e reduzem seus custos operacionais. Como o conluio é ilegal e punível com multa e prisão, os executivos relutam em se envolver nessa prática. As reuniões de líderes empresariais são quase sempre na presença de advogados para evitar a acusação de conluio.

Formação de cartéis

As empresas que entram em conluio podem formar cartéis. Um cartel é um grupo de empresas que efetivamente funciona como um único produtor ou monopólio, capaz de cobrar qualquer preço que o mercado suporte. Provavelmente o cartel moderno mais conhecido é a Organização dos Países Exportadores de Petróleo, ou OPEP. A OPEP é constituída por 13 países exportadores de petróleo e, portanto, não está sujeita às leis antitruste dos Estados Unidos. A organização procura manter altos preços e lucros do petróleo para seus membros, restringindo a produção. Cada membro do cartel concorda com uma quota de produção que acaba reduzindo a produção geral e aumentando os preços. A OPEP é má notícia para quem gosta de gasolina barata.

Felizmente para os consumidores, os cartéis têm um calcanhar de Aquiles. Os membros individuais de um cartel têm um incentivo para trair seu acordo. Os cartéis passam por períodos de cooperação e de concorrência. Quando os preços e lucros estão baixos, os membros do cartel têm um incentivo para cooperar e limitar a produção. É o sucesso do cartel que traz o incentivo para trapacear. Se o cartel for bem-sucedido, o preço de mercado da *commodity* aumenta. Os membros individuais, motivados pelo próprio interesse, têm um incentivo, a lei da oferta, de ultrapassar, ainda que ligeiramente, a sua quota de produção e vender o excedente a um preço agora mais elevado. O problema é que todos os membros têm esse incentivo e o resultado é que, no final, os preços acabam caindo, pois eles coletivamente trapaceiam em sua quota de produção. Os cartéis devem encontrar maneiras de desestimular a trapaça. Os cartéis de drogas usam o assassinato e o sequestro, mas a OPEP utiliza algo um pouco mais civilizado. O maior produtor no cartel é a Arábia Saudita. O país também tem o menor custo de produção. Se um membro, ou membros, engana o cartel, então a Arábia Saudita pode disciplinar o grupo liberando suas vastas reservas de petróleo e praticando preços inferiores aos de outros países, que ainda assim permanecerá rentável. Após alguns meses, ou mesmo anos de perdas, os outros países voltam a ter um incentivo para cooperar e limitar a produção mais uma vez.

TEORIA DOS JOGOS

Eu gostaria de mais dicas, por favor

Os economistas descobriram que a teoria dos jogos é útil para entender o comportamento dos oligopolistas. A teoria dos jogos examina os resultados das decisões tomadas quando essas decisões dependem das escolhas dos outros. A teoria dos jogos é um estudo de decisões interdependentes.

O DILEMA DO PRISIONEIRO

Um jogo particularmente aplicável ao estudo do oligopólio é o dilema do prisioneiro.

Dois homens, Adam e Karl, são pegos pela polícia sob a suspeita de roubo. O delegado sabe que tem poucas provas contra os homens e está contando com a confissão de um ou de ambos para processá-los por roubo. Caso contrário, só poderá indiciá-los por invasão de domicílio, que tem a pena de um ano de prisão.

Ao entrarem na delegacia, os homens são imediatamente separados e levados para salas diferentes de interrogatório. O interrogador informa a cada um, em separado, que se um deles confessar o crime e implicar o parceiro, enquanto o outro permanecer em silêncio, então aquele que confessar receberá uma pena de prisão de dois anos, enquanto o parceiro calado provavelmente cumprirá uma pena de dez anos em uma prisão superlotada. Se ambos confessarem então provavelmente cumprirão uma sentença de três anos de prisão.

Qual é a melhor estratégia para Adam e Karl? Se eles pudessem se reunir e formar um conluio, ambos provavelmente decidiriam que seria mais inteligente permanecer em silêncio e cumprir pena por invasão de domicílio. No entanto, eles não podem entrar em conluio, de modo que cada um deles deve pensar em suas opções. Adam pensa com seus botões: "Se eu confessar, então vou para a cadeia por dois ou três anos. Se fico calado, então passo um ano na prisão ou vou para a penitenciária por dez anos". Karl pensa exatamente a mesma coisa. Como estão separados e não têm a mínima ideia do que o outro está fazendo, ambos confessam para evitar uma possível pena de dez anos de prisão. Ambos acabam cumprindo pena de três anos. Essa conclusão lógica é chamada de estratégia dominante.

TEORIA DOS JOGOS NOS NEGÓCIOS

Algumas decisões empresariais seguem a mesma lógica. Suponha que em uma pequena cidade isolada existam apenas dois postos de gasolina a certa distância um do outro. Por lei, só é permitido mudar o preço da gasolina uma vez por dia. Cada posto tem duas opções de preço disponíveis. Eles podem cobrar um preço alto ou um preço baixo. De experiências passadas, eles sabem que, quando ambos cobram um preço alto, ambos lucram mil reais. Quando um deles cobra um preço alto e o outro um preço baixo, o posto com preço alto lucra 300 reais, enquanto o posto com preço baixo lucra 1.200 reais. Quando ambos cobram um preço baixo, os lucros são de 750 reais para cada um.

Se fosse dada a oportunidade de fazer um conluio, qual estratégia os dois assumiriam? Em conluio, ambos concordariam em fixar um preço alto para a gasolina e cada um lucraria diariamente mil reais. O que os postos de gasolina deveriam fazer se não puderem entrar em conluio? A reflexão é a seguinte: "Se eu cobrar um preço alto ganharei mil ou 300 reais. Se eu cobrar um preço baixo ganharei 1.200 ou 750 reais". Como os postos não estão próximos um do outro e não têm nenhuma maneira legal de conhecer a estratégia de preço do adversário, então seu melhor curso de ação ou estratégia dominante é fixar um preço baixo, o que garante no mínimo um lucro de 750 reais e no máximo 1.200 reais. Assim como no dilema do prisioneiro, quando não têm a possibilidade de entrar em conluio, os participantes escolhem uma estratégia que resulta em uma produção que não é necessariamente aquela que maximiza os lucros.

Ao contrário do dilema do prisioneiro, que ocorre uma única vez, as empresas competem entre si dia após dia. A participação nesse "jogo" dia após dia resulta em algo chamado conluio tácito. Ao participar de um jogo "olho por olho, dente por dente", as empresas podem eventualmente chegar a um ponto em que ambas cobram um preço elevado e maximizam seus lucros. Como isso funciona?

1. Suponha que no primeiro dia ambos os postos de gasolina cobrem um preço alto. Ambos obtêm lucros de mil reais.
2. No segundo dia, um dos postos cobra um preço elevado, mas o outro trapaceia e cobra um preço baixo para obter lucros de 1.200 reais.
3. Previsivelmente, no dia seguinte o outro posto retalia e baixa o preço, resultando em lucros de 750 reais para cada um.
4. No final, ambos os postos concluem que, se ambos fixam um preço alto e não trapaceiam, obtêm lucros maiores em longo prazo. Eles aprendem que ao trapacear seu lucro adicional no dia seguinte não compensa os lucros mais baixos que se seguem.

COMPORTAMENTOS DOS PREÇOS

Dinheiro, dinheiro, dinheiro

As empresas se envolvem em muitas competições de preço (e também não relacionadas a preços) com o objetivo de aumentar os lucros. Os comportamentos escolhidos para fixação de preços estão relacionados com o tipo de mercado em que estão inseridas, seja oligopólio, seja monopólio.

PREÇO E OLIGOPÓLIOS

A interdependência leva os oligopolistas a se comportarem estrategicamente. Os comportamentos estratégicos de preços que ocorrem no oligopólio incluem liderança de preço e guerra de preços. Além desses comportamentos na fixação de valores, os oligopólios também se envolvem em competição que não envolve preços. No entanto, a finalidade desses comportamentos que envolvem ou não preços é a mesma: maximizar os lucros das empresas oligopolistas.

Liderança de preço

A liderança de preço ocorre quando uma empresa dominante toma a decisão de preço pelo resto do mercado. Essas decisões são muitas vezes tornadas públicas muito antes de o novo preço entrar em vigor, e representam uma forma de conluio tácito. As empresas menores do setor geralmente seguem e equiparam o seu preço com o do líder. A liderança de preço oferece às empresas a oportunidade de adotar um preço maior do que aquele que ocorreria se elas concorressem diretamente nos preços. Os consumidores em geral se saem melhor sob a liderança de preço do que se as empresas formassem um cartel, mas pior do que se elas fossem altamente competitivas.

Guerras de preços

As guerras de preços ocorrem quando as empresas rompem com o modelo de liderança de preço e começam a diminuir os preços uns em relação aos outros. Embora pareça algo ruim, as guerras de preços são muitas vezes vantajosas para os consumidores por causa da concorrência de preços criada no processo. Algumas empresas têm sido acusadas de financiar as guerras de preços aumentando os preços em uma parte de seu mercado para cortar os preços em outra parte desse mercado. A guerra de preços continua até que as empresas cheguem novamente a um conluio tácito e retornem ao modelo de liderança de preços.

Diferenciação de produto

Embora funcionem no modelo de liderança de preços, as empresas concorrem com base na diferenciação do produto em vez do preço. Ao enfatizar as diferenças e a exclusividade de seus produtos, as empresas tentam arrebatar participação de mercado umas das outras. Da mesma forma que no mercado de concorrência monopolística, os oligopolistas que se envolvem em concorrência que não de preço gastam grandes quantias em publicidade. Por exemplo, as principais marcas de cerveja norte-americanas não concorrem no preço, mas contam com a concorrência que não envolve preços, sob a forma de publicidade, para ganhar participação de mercado umas das outras.

PREÇOS E MONOPÓLIOS

Na extremidade oposta do espectro da concorrência perfeita está o monopólio. Como o nome sugere, monopólio é um mercado dominado por um único vendedor. Nos Estados Unidos, os monopólios não são normalmente permitidos, e os reguladores governamentais na Comissão Federal de Comércio emanam todos os esforços para impedir que sejam criados. Eles são proibidos porque criam um problema sério tanto para os consumidores quanto para os prováveis concorrentes no mercado. Apesar de indesejáveis, há vários bons motivos para que alguns monopólios existam. A seguir estão as principais razões para a existência da maioria dos monopólios nos Estados Unidos:

- economias de escala;
- geografia;
- proteção do governo;
- atribuição do governo.

Aumentos de preços

O monopólio ocorre quando uma empresa competitiva elimina toda a concorrência. Por meio do controle dos principais recursos, fusões e até mesmo uma pequena ajuda do governo, empresas anteriormente competitivas podem encontrar-se na invejável posição de ser monopolistas. Um comportamento típico nos preços para um monopólio é aumentá-los o máximo possível.

A Standard Oil Trust de John D. Rockefeller é provavelmente o monopólio norte-americano mais marcante. Ao controlar o recurso, adquirir os concorrentes e ter influência política, a Standard Oil, no auge de seu poder, praticamente controlava toda a produção petrolífera nos Estados Unidos. Isso foi bom para o sr. Rockefeller, pois fez dele o homem mais rico do mundo, mas, para os consumidores e possíveis concorrentes, as consequências da Standard Oil Trust foram altos preços, produção ineficiente e barreiras significativas à entrada. No final, a Lei Sherman Antitruste foi utilizada para fragmentar a Standard Oil e desde então o governo tem assumido um papel ativo na prevenção de novos monopólios.

Discriminação de preços

Devido à falta de concorrência, os monopólios podem praticar a discriminação de preços para dificultar os negócios de outras empresas. Discriminação de preços é a capacidade de cobrar preços diferentes de diferentes clientes para os mesmos bens ou serviços. Por exemplo, uma companhia ferroviária monopolista podia cobrar fretes diferentes de clientes diferentes para transportar a mesma quantidade de carga. Hoje, graças à Lei Clayton Antitruste, a discriminação de preços, em sua maioria, é ilegal.

Algumas formas de discriminação de preços ainda existem porque são consideradas aceitáveis.

Você pode ter se beneficiado da discriminação de preços na última vez que foi ao cinema ou viajou de avião. Descontos para idosos, estudantes e, em alguns países, militares são geralmente oferecidos nos cinemas. Os viajantes de negócios e os turistas muitas vezes pagam preços muito diferentes pelas passagens no mesmo voo, embora viajem em classe econômica. Como as companhias aéreas justificam isso? É defensável porque os turistas e os viajantes de negócios têm elasticidades de demanda diferentes para passagens aéreas. Os turistas têm demanda elástica para passagens porque conseguem reservar a viagem com meses de antecedência e muitas vezes estão dispostos a comprar tarifas não reembolsáveis. A demanda dos viajantes de negócios é muito mais inelástica e, portanto, nesse caso, estão dispostos a pagar o preço mais elevado pela conveniência das tarifas reembolsáveis e o privilégio de reserva de passagens em curto prazo. Ao ser permitido cobrar preços diferentes para basicamente a mesma passagem, a companhia aérea consegue dosar melhor aqueles que precisam de uma passagem e aqueles que querem uma passagem.

MONOPÓLIO: O BOM, O RUIM E O HORRÍVEL
Não se trata apenas de um jogo de tabuleiro

Monopólio nem sempre é algo ruim. Mas também nem sempre é uma coisa boa. Às vezes o monopólio é francamente horrível, a menos, é claro, que você seja o orgulhoso pai de um monopólio. Quando se permite a existência de um monopólio é por um bom motivo. No entanto, mesmo que a razão seja boa, os monopólios podem ter alguns efeitos negativos. A história tem demonstrado que, deixados sem controle, os monopólios podem prejudicar uma economia.

O BOM

Bons monopólios vêm em várias formas, dependendo do tipo de produto (bem/item/serviço) envolvido.

Monopólio natural

O primeiro é o monopólio natural. Quando o custo médio de produção cai à medida que uma fábrica cresce, então as economias de escala estão presentes. O monopólio natural existe quando as economias de escala incentivam a produção por um único produtor. Um exemplo comumente citado de monopólio natural é sua concessionária local de energia elétrica. Uma característica das usinas elétricas que incentiva o monopólio natural é que, à medida que aumenta o tamanho da usina, cai o custo por quilowatt-hora de eletricidade. Você pode ter um pequeno gerador elétrico. Imagine o custo de operar o gerador ou vários pequenos geradores apenas para atender as necessidades elétricas de sua casa. Agora imagine o custo de cada casa em uma cidade funcionando com vários geradores portáteis. O custo fixo total dos geradores para a comunidade seria muito alto, e o custo variável de utilizar geradores a gás ou diesel seria astronômico.

Compare essa situação com a que mais provavelmente existe em sua cidade. Em vez de uma infinidade de geradores portáteis, algumas grandes usinas a carvão conseguem gerar eletricidade para a cidade inteira a um custo total muito menor. Lembre-se de que os serviços públicos são monopólios. O que impede a concessionária de cobrar um preço de monopólio pela eletricidade? O governo regulamenta os preços que as concessionárias podem cobrar de seus clientes pela eletricidade. Ao controlar os preços, o governo incentiva a produção de baixo custo, permitindo ao concessionário auferir um lucro contábil na produção.

Monopólio tecnológico

O monopólio tecnológico é outra forma de monopólio que é incentivada. Quando uma empresa inventa um novo produto ou processo e recebe a proteção de patente, ela se torna monopolista tecnológica para esse produto específico. De acordo com o Escritório de Marcas e Patentes dos Estados Unidos, a proteção de patente dura 20 anos a partir da data em que foi originalmente solicitada. Durante esse período de tempo, nenhuma outra empresa pode desenvolver ou importar a tecnologia. O detentor da patente pode desenvolver ou vender os direitos de desenvolver a tecnologia para uma empresa que pode, então, funcionar legalmente como monopolista.

Durante o período de proteção de patente, o detentor da patente, como monopolista, pode cobrar um preço de monopólio e ganhar lucros econômicos. Se os preços de monopólio são superiores aos preços de concorrência, por que isso é incentivado? A proteção de patente incentiva a inovação, a invenção e a pesquisa e o desenvolvimento. Sem a proteção, as empresas teriam pouco incentivo para investir bilhões de reais em pesquisa sabendo que a empresa ao lado poderia apenas copiar o produto sem ter feito o investimento, e lucrando. É por causa da proteção de patente e da capacidade de auferir lucros monopolistas que as companhias farmacêuticas norte-americanas e europeias desenvolveram tantos medicamentos que salvam vidas. Sem a proteção de patente, haveria pouco incentivo para que a indústria farmacêutica prosseguisse com suas pesquisas.

O RUIM?

Às vezes, o governo pode entrar no mercado para fornecer um bem ou serviço. Um exemplo de monopólio do governo é o Serviço Postal dos Estados Unidos.

O monopólio do Serviço Postal dos Estados Unidos

Você pode se perguntar por que o Serviço Postal norte-americano é considerado um monopólio quando existem outras empresas de entrega. E quanto à UPS e ao FedEx? Somente o Serviço Postal dos Estados Unidos pode entregar uma "carta" escrita em papel e entregue dentro de um envelope de papel. A UPS e o FedEx estão no negócio de entrega de pacotes, mesmo que esse pacote seja uma carta escrita em papel e entregue dentro de um envelope de papel-cartão.

Outros exemplos de monopólio governamental incluem os vários departamentos e as agências do poder executivo. Grande parte do que eles fazem e fornecem poderia ser feita pelo setor privado da economia, mas, por muitas razões, o governo julgou essas atividades como funções governamentais.

Os argumentos a favor e contra os monopólios governamentais se contrapõem principalmente por razões filosóficas. Muitos conservadores e libertários não concordam que o governo desempenhe as funções da iniciativa privada com o argumento de que o governo é perdulário e ineficiente. Aqueles com pontos de vista mais populistas tendem a ver a necessidade de o governo realizar algumas das funções da iniciativa privada com o argumento de que o governo é menos perdulário e mais eficiente. Você decide.

O HORRÍVEL

Monopólio puro e não regulamentado é horrível. Uma empresa que é a única fornecedora de um bem ou serviço consegue impedir a concorrência. Ela pode cobrar qualquer preço que o consumidor paga. Este é o monopólio mais prejudicial para a sociedade. Embora alguém possa dizer "ao vencedor, as batatas", empresas anteriormente competitivas que se tornam monopolistas precisam ser controladas por regulamentação ou fracionadas em empresas concorrentes. A concorrência beneficia a sociedade proporcionando uma variedade de bens e serviços a preços competitivos, que refletem com precisão os custos de produção. O monopólio puro é o oposto dessa condição. O monopólio puro é um bem a um preço que de nenhuma forma reflete o verdadeiro custo de produção.

O monopólio dos diamantes pela De Beers é o exemplo clássico de monopólio ruim. A De Beers, no auge de seu poder, ditava o que acontecia na indústria do diamante. Ao controlar o recurso e coagir os atacadistas e lapidadores a cumprir suas demandas, a De Beers criou uma ilusão de escassez e valor no mercado de diamantes que lhe permitiu auferir lucros econômicos por mais de cem anos. Agora, antes de vender seus diamantes com indignação, você deve lembrar que não foi coagido a comprar o diamante. Você comprou o diamante porque o benefício superava o custo. O problema para o comprador é que você nunca percebeu o quanto do custo era o lucro da De Beers.

GOVERNO NO MERCADO: TETOS E PISOS DE PREÇOS

Mas eles tinham boas intenções

De vez em quando as pessoas pedem ao governo que intervenha e corrija os erros percebidos no mercado. Muitas vezes isso leva a resultados inesperados. Sem considerar como as pessoas responderiam aos incentivos, políticas bem-intencionadas podem perder o rumo. Como as pessoas não vão parar de agir como pessoas, os governos devem analisar se suas ações criam ou não incentivos perversos. Da mesma forma, há momentos em que o mercado deixa de fornecer bens ou de atribuir corretamente os custos. Isso pede pela intervenção do governo para fornecer ou redirecionar incentivos de tal forma que o mercado funcione melhor. Duas abordagens que os governos utilizam são os tetos e os pisos de preços.

TETOS DE PREÇOS

No início da década de 1970, os Estados Unidos enfrentavam preços de alimentos cada vez maiores. Consequentemente, as pessoas clamavam para o governo intervir e interromper os aumentos. Em vez de analisar a origem do problema e fazer algo a respeito, o governo tentou tratar dos sintomas. Em um esforço para aliviar o sofrimento das famílias, a administração Nixon estabeleceu controles de preços. Um desses controles era um teto de preços para os alimentos. Os varejistas não poderiam cobrar um preço maior do que o teto imposto pelo governo.

Um teto de preços é o preço máximo legal para um bem, serviço ou recurso. Na época, a teoria era de que, se o governo impusesse um preço máximo sobre os alimentos, os preços parariam de subir e todos teriam o alimento que queriam ao preço que queriam. Naturalmente, isso pressupõe que as pessoas não se comportem como de costume. Lembre-se de que os preços são o resultado do equilíbrio entre oferta e demanda. Lembre-se também de que essas duas forças são completamente moldadas pela natureza humana.

A lei da demanda, que governa o comportamento do consumidor, diz que, se os preços caem, os consumidores têm um incentivo para comprar mais, e, quando os preços sobem, os consumidores têm um incentivo para comprar menos. A lei da oferta, que governa o comportamento do produtor, diz que, quando os preços sobem, os produtores têm um incentivo para produzir mais, e, quando os preços caem, os produtores têm um incentivo para produzir menos.

Qual é o efeito de um teto de preços sobre o mercado de alimentos? Olhe para os incentivos. Um teto de preços incentiva os consumidores a comprar, mas desencoraja os produtores de produzir. Suponha que a carne bovina seja vendida hoje a 5 reais o quilo. Os consumidores acham que o preço é muito alto, de modo que fazem uma petição ao governo solicitando um teto de preço de 3 reais o quilo. Representantes, senadores e presidentes gostam de ser reeleitos, portanto, atendem aos consumidores e decretam um teto. Os 3 reais sinalizam aos consumidores para comprar mais, mas sinaliza aos produtores para produzir menos. O resultado do teto de preços é uma escassez de carne bovina a 3 reais o quilo. A esse preço, há mais demanda por carne do que oferta. Os consumidores obtiveram um teto de preço de 3 reais, mas muitos deles não conseguiram comprar carne.

Por que os controles de preços são ineficientes?

Os controles de preços são ineficientes por muitas razões. Uma que vale a pena considerar é que eles aumentam a necessidade de controle e fiscalização. Isso significa aumento da burocracia do governo, o que não é barato. O aumento dos gastos do governo equivale a mais impostos ou mais empréstimos.

No fim, os Estados Unidos abandonaram os controles de preços, mas levou uma década para conseguirem controlar a inflação resultante. Ainda hoje existem pessoas que exigem que o governo limite os preços de várias commodities. Em 2007, por exemplo, muitos pediam limites de preços para a gasolina. Como sempre, as pessoas ainda querem preços baixos. Governo e consumidores seriam sábios se aprendessem com os erros do passado e percebessem que as tentativas de controlar o mercado resultam em consequências inesperadas.

PISOS DE PREÇOS

Os consumidores não são os únicos que ignoram os fundamentos da oferta e da procura. Os produtores têm, por vezes, solicitado pisos de preços. Um piso de preço é um preço mínimo legal para um bem, serviço ou recurso. Provavelmente o piso de preço mais conhecido é o salário mínimo. No mercado de recursos como mão de obra, as famílias fornecem e as empresas demandam. Os políticos que representam áreas com grande população de mão de obra não qualificada são muitas vezes pressionados pelos eleitores para aumentar o salário mínimo. Acredita-se que um aumento no salário mínimo é justificado, pois os empregadores pagarão o salário maior e manterão o mesmo número de trabalhadores. No entanto, isso só funciona se você assumir que as pessoas não terão o comportamento de costume.

Por exemplo, suponha que a câmara de vereadores de uma grande cidade, sob pressão dos eleitores, eleve o salário mínimo do mínimo federal para um mínimo municipal de 10 reais por hora. Suponha ainda que o salário de equilíbrio no centro da cidade já fosse de 8 reais por hora e que nas vizinhanças fosse de 11 reais por hora. O que acontecerá na cidade e o que acontecerá nas redondezas? Na cidade, mais produtores (trabalhadores) estarão dispostos a fornecer seu trabalho a um preço mais alto, mas menos consumidores (empregadores) estarão dispostos a empregar essa mão de obra ao preço mais alto. Como resultado, surge um excedente de mão de obra não qualificada, mais conhecido como desemprego. Já nos arredores, o aumento do salário mínimo não tem efeito algum, pois o salário de equilíbrio já era de 11 reais. No final, a política destinada a ajudar os pobres ajudou aqueles que mantiveram seus empregos, mas resultou em desemprego para aqueles que foram demitidos e para aqueles que entraram no mercado de trabalho à procura de trabalho a 10 reais por hora.

Curiosamente, aqueles a favor de aumentar o salário mínimo são muitas vezes as mesmas pessoas que seriam mais prejudicadas pelo aumento. Os políticos sabem disso agora e geralmente aprovam aumentos no salário mínimo que o mantenham abaixo do salário médio de equilíbrio para o trabalho não qualificado. Por exemplo, se o salário médio de equilíbrio do mercado da mão de obra não qualificada for de 8 reais por hora, então os políticos terão prazer em aumentar o salário mínimo de 6 reais para 7,50 reais por hora, sabendo que isso terá pouco efeito econômico. No entanto, eles ainda poderão colher os louros políticos por "aumentar" o salário mínimo.

GOVERNO NO MERCADO: IMPOSTOS E SUBSÍDIOS

As únicas certezas na vida

O governo tem um poder que as empresas invejam. É o poder de coagir o pagamento, mais conhecido como tributação. O oposto de um imposto é um subsídio. O subsídio é a soma de dinheiro dada pelo governo para um setor ou empresa para que eles o apoiem. O governo utiliza impostos e subsídios não apenas para aumentar a receita ou redistribuir a renda, mas também para moldar os incentivos das pessoas e para mudar o mercado.

COMO A TRIBUTAÇÃO MOLDA OS MERCADOS

Todo governo eficaz tem o poder de tributar. Os impostos podem ser usados como uma ferramenta de política microeconômica. Por exemplo, se quiser reduzir a produção de determinado bem, o governo pode tributar o produtor. Isso aumenta o custo da produção para o produtor e reduz a oferta no mercado. Antes da Guerra Civil nos Estados Unidos, milhares de formas de moeda estavam em circulação, pois não havia uma moeda nacional. A guerra deu impulso para uma moeda nacional. Para assegurar o sucesso da nova moeda norte-americana, o Congresso taxou todas as outras formas de moeda, o que as removeu do mercado. Como? Você emitiria um dólar se ele lhe custasse 1,50?

O governo pode usar a tributação para aumentar a receita sem a intenção de reduzir a produção. Por exemplo, impostos sobre bens e serviços caros de luxo aumentam a receita sem necessariamente afetar o mercado. Se você pretende adquirir um automóvel caro, gastar 500 mil reais ou 501 mil reais não faz muita diferença em sua decisão de compra.

Os chamados impostos sobre o "pecado" (impostos sobre produtos não essenciais, mas populares, como álcool e cigarros) destinam-se a gerar receita, mas também a reduzir o consumo de produtos considerados indesejáveis (embora não ilegais) pelo governo. Os altos impostos sobre esses bens podem levar a um mercado negro (mais sobre isso adiante no livro!).

COMO OS SUBSÍDIOS MOLDAM O MERCADO

Os subsídios são usados pelo governo para incentivar em vez de desencorajar a produção de determinados bens e serviços. Os subsídios têm o efeito de aumentar a oferta do bem ou serviço e de reduzir o seu preço. Muitos agricultores e pecuaristas são subsidiados pelo governo. Subsidiar produtos agrícolas garante que sempre haja alimentos mais do que suficientes e dá às exportações agrícolas norte-americanas uma vantagem de preço. Às vezes, são concedidos subsídios aos proprietários de terras agrícolas para incentivá-los a não produzir, permitindo que uma produção artificialmente menor de produtos agrícolas mantenha os preços artificialmente elevados (bom para os agricultores e não tão bom para os consumidores). Os críticos dos subsídios agrícolas argumentam que isso cria ineficiência e deslocamento de recursos escassos.

Subsídios impedem a concorrência

Muitos países pobres dependem da agricultura como sua principal exportação. Um ponto de discórdia nas negociações da Organização Mundial do Comércio (OMC) é que as nações industrializadas querem que as nações pobres se abram para o livre-comércio, mas as nações industrializadas relutam em acabar com os subsídios agrícolas. Esses subsídios dificultam a concorrência para as nações pobres.

Um grande número de subsídios governamentais está relacionado com a agricultura, mas nem todos. Por exemplo, os subsídios à exportação são utilizados pelos governos para ajudar os mercados domésticos a competir internacionalmente. Os subsídios para renovação incentivam os produtores a investir em determinadas áreas geográficas.

Alguns subsídios governamentais são indiretos (como isenção fiscal ou garantia de empréstimos com juros baixos), mas ainda são utilizados para implementar políticas econômicas e afetar o mercado (os subsídios fiscais são um dos motivos pelos quais as normas do imposto de renda são tão complicadas!).

Subsídios para empréstimos universitários

Alguns economistas argumentam que empréstimos subsidiados e subsídios para estudantes universitários são parte do problema e não a cura. O sistema de ajuda financeira, embora bem-intencionado, tem o efeito de aumentar a demanda por faculdade. Como você já sabe, o aumento da demanda leva a preços mais altos.

Outros subsídios destinam-se aos consumidores e não aos produtores (por exemplo, um subsídio no aluguel para um trabalhador de baixa renda). Os subsídios ao consumidor destinam-se muitas vezes a proteger os desfavorecidos, em vez de afetar a oferta ou a demanda, mas esses subsídios afetam o mercado.

SUBSÍDIOS AO CONSUMIDOR E MERCADO NEGRO

Os mercados negros permitem que o comércio ilegal ocorra. Mesmo os subsídios alimentares para famílias carentes estão sujeitos à atividade no mercado negro. Algumas pessoas que recebem ajuda alimentar trocam voluntariamente 2 reais em ajuda alimentar por 1 real em dinheiro. Elas se beneficiam porque agora têm a liberdade de comprar o que quiserem. O comprador se beneficia ao adquirir mantimentos por metade do preço. O problema com o sistema é sua ineficiência e o fato de não criar utilidade para os destinatários. Já no caso de um sistema de pagamento em dinheiro, o contribuinte ganha porque consegue dar o mesmo valor do serviço a uma fração do custo. O destinatário ganha porque consegue comprar mantimentos sem o estigma de ter de pagar usando cupons de alimentos, e, se assim optar, comprar outras coisas que valorize mais.

Um argumento óbvio contra um sistema como esse é que algumas pessoas podem não comprar alimentos com esse subsídio alimentar e, em vez disso, adquirir álcool, cigarros ou mesmo drogas ilegais. Considere este exemplo: suponha que uma pessoa que recebe ajuda alimentar também tenha um vício em cigarros. Ela recebe 100 reais em cupons de alimentos e imediatamente os vende no mercado negro para poder comprar 50 reais em cigarros. No final, ela tem 50 reais em cigarros e nenhuma comida. Agora suponha que uma pessoa que receba ajuda alimentar, receba 100 reais em dinheiro. Ela compra 50 reais em cigarros, mas agora tem 50 reais para comida. Ela está melhor e o contribuinte está melhor. Além disso, o sistema de pagamento em dinheiro elimina o mercado negro e é muito menos caro para administrar.

FALHAS DE MERCADO
Venha e pegue uma carona

Às vezes, o mercado não consegue fornecer um bem ou serviço necessário ou não atribui corretamente os custos. Os economistas referem-se a isso como uma falha de mercado. O governo tem a capacidade de intervir e lidar com essas falhas de várias maneiras.

BENS PÚBLICOS

Ocasionalmente, o mercado não fornece um bem ou serviço que as pessoas querem. Se um bem for não rival e não excludente, o livre mercado provavelmente não vai fornecê-lo.

- Um bem ou serviço é não rival quando seu consumo por uma pessoa não diminui o consumo do bem ou serviço por outra pessoa. Por exemplo, quando você vai ao cinema, a presença de outra pessoa não diminui a sua capacidade de consumir o serviço, a menos que, evidentemente, ela tenha um bebê chorando em seu colo. Uma barra de chocolate é um exemplo de um bem rival. Se você comer a barra de chocolate, então outro consumidor não poderá fazer isso.
- Um bem é não excludente se o produtor não puder rejeitar o fornecimento àqueles que não quiserem pagar por ele. As estradas públicas são um exemplo de bem não rival e não excludente (o cinema é um bom exemplo de um bem não rival, mas excludente). Uma empresa privada tem pouco incentivo para produzir uma via pública a seu próprio custo. Portanto, cabe ao governo fornecer esses tipos de bem.

EXTERNALIDADE POSITIVA

Às vezes, a produção de um bem ou serviço cria uma repercussão ou um benefício não intencional para alguém que não é nem o produtor nem o consumidor. Esse benefício indireto é chamado de externalidade positiva. Suponha que você more em um típico bairro norte-americano. Se os seus vizinhos reformarem ou remodelarem a casa deles a fim de aumentar significativamente o seu valor, você também se beneficia. Sua casa também se valorizaria, mas você não pagou nada pelo aumento. As vacinas contra a gripe também criam uma externalidade positiva. Caso esteja preocupado em pegar gripe, você pode ir ao seu médico e pagar por uma dose de vacina. A sua decisão de se vacinar contra a gripe cria benefícios indiretos às pessoas ao redor. Sua imunidade reduz a chance de que elas contraiam a doença, mesmo sem pagar por isso. Os economistas se referem a essas pessoas como "caronas".

Quando a produção de um bem ou serviço cria uma externalidade positiva, nunca há o suficiente disso. Para aumentar o bem ou serviço desejável, o governo pode optar por subsidiar a sua produção. O governo subsidia escolas públicas por esse motivo. Embora existam escolas privadas, não há escolas privadas suficientes para educar a população. Uma população educada cria uma externalidade positiva, de modo que o governo subsidia a educação para todas as crianças. As empresas nos Estados Unidos não precisam ensinar seus trabalhadores a ler o manual do empregado ou a resolver problemas de matemática.

EXTERNALIDADE NEGATIVA

Externalidades negativas ocorrem quando a produção ou o consumo de um bem ou serviço criam custos indiretos para a sociedade. A poluição é um exemplo de externalidade negativa do processo de produção. Por exemplo, um fabricante de calçados produz sapatos, mas também produz poluição do ar que é lançada para fora da fábrica. Quando a empresa vende os sapatos para seus clientes, o custo da poluição não é computado no preço dos sapatos. As pessoas que vivem perto da fábrica arcam com parte do custo de produção na forma de poluição, mas não recebem pagamento pelos sapatos que a fábrica produz. Quando a produção de uma empresa cria uma externalidade negativa, há produto demais sendo produzido. Em uma situação como essa, o governo pode tributar o produtor para reduzir a quantidade de sapatos, e poluição, produzidos.

MERCADOS NEGROS

Apesar do grande esforço do governo, sempre e onde quer que ele tente controlar os preços ou se intrometer nas forças de oferta e procura, você pode ter certeza de que um mercado negro (comércio ilegal) se desenvolverá. Os mercados se desenvolvem quando há uma oferta e uma demanda para um produto. Não importa o que seja. Se alguém produz e as pessoas querem, há um mercado para isso. Além disso, se a intervenção do governo criar excedentes ou escassez, algum indivíduo empreendedor vai intervir e fornecer um meio de contornar o governo e equilibrar o mercado.

Frustrando tetos de preços

Quando o governo estabelece um preço máximo, resulta em uma escassez para o bem ou serviço. Essa escassez é solucionada pelo mercado. Na cidade de Nova York, um sistema de controle de aluguel que remonta à Segunda Guerra Mundial ainda está em vigor. Consequentemente, apartamentos muito procurados podem ser alugados por preços extremamente baixos. No entanto, em razão dos preços baixos, pouquíssimos apartamentos estão disponíveis. Pessoas com renda significativa podem estar dispostas a alugar alguns desses apartamentos, mas não conseguem fazê-lo legalmente. O mercado respondeu com sublocação no mercado negro. Um inquilino que se beneficiou do controle de aluguéis volta ao mercado e subloca o apartamento para um inquilino disposto a pagar um aluguel muito maior (que ainda é menor do que a média). Lembre-se de que o comércio voluntário é gerador de riqueza, de modo que ambos, o novo inquilino e o inquilino original, se beneficiam com a transação. Além disso, o proprietário não está pior do que antes da sublocação. No entanto, a cidade de Nova York persegue ativamente essas sublocações ilegais. Todos os anos, a cidade utiliza recursos escassos para aplicar esse sistema de controle de preços. Uma solução seria eliminar os controles e permitir que o mercado determine o preço do aluguel.

Os eventos esportivos também fornecem um exemplo de resultado ineficiente gerado por controle de preços. Quem tem mais vontade de assistir a um evento, alguém disposto a pagar 50 reais ou alguém disposto a pagar mil reais? Quando os preços dos ingressos são limitados, aqueles dispostos a pagar mais são forçados a competir com aqueles que na realidade receberiam menos utilidade por assistir ao evento.

Frustrando pisos de preço

Os mercados também se desenvolvem para frustrar pisos de preços. Os trabalhadores dispostos a trabalhar por menos do que o salário mínimo podem recorrer a contratos de pessoa jurídica ou receber pagamentos ilegais em dinheiro. Situações em que os trabalhadores são forçados a aceitar salários baixos ou enfrentar a deportação não são mutuamente benéficas, nem voluntárias. A exploração ocorre quando uma parte de uma transação é incapaz de escolher livremente se quer participar ou não de uma transação. Supondo que a transação seja voluntária, tanto a empresa quanto os trabalhadores se beneficiam. Se a transação não fosse mutuamente benéfica, então não ocorreria.

MERCADOS FINANCEIROS E TEORIA DOS FUNDOS DE EMPRÉSTIMO

O que está por trás da cortina?

Alguma vez você já se perguntou o que as pessoas nos noticiários querem dizer com: "A Índice Industrial Dow Jones fechou em 30 pontos hoje com muitos negócios. O S&P 500 também subiu mais. A Nasdaq oscilou. Os mercados estrangeiros abriram em baixa com as notícias de que o Banco Central manterá taxas de juros próximas a zero no futuro previsível. Os preços dos títulos corporativos caíram, já que muitas emissões foram rebaixadas, enquanto o rendimento do Tesouro de dez anos acabou mais baixo"?

Caso acompanhe o *Valor Econômico*, ou algum outro veículo de comunicação sobre economia como o *Wall Street Journal* nos Estados Unidos, você provavelmente entende a linguagem. No entanto, se for como muitas pessoas, os mercados financeiros são um completo mistério. Embora pareçam complicados, os mercados financeiros servem a um propósito muito básico: conectar as pessoas que têm dinheiro com as pessoas que querem dinheiro.

TEORIA DOS FUNDOS DE EMPRÉSTIMO

Os economistas oferecem um modelo simples para entender os mercados financeiros e de que forma a taxa de juros real é determinada (lembre-se de que a taxa de juros real é a quantidade dos juros nominais que sobra depois que a taxa de inflação é contabilizada/subtraída). Como muitas ideias brilhantes propostas pelos economistas, esse modelo é puramente imaginário, mas ajuda a explicar o que acontece nos mercados financeiros. O mercado hipotético que eles identificaram é chamado de mercado de fundos de empréstimo. Ele existe para reunir "poupadores" e "tomadores de empréstimo". Os poupadores fornecem e os tomadores demandam. A taxa de juros real ocorre no ponto em que a quantia poupada iguala à quantia emprestada.

De acordo com a lei da oferta, os produtores só estão dispostos a oferecer mais se puderem receber um preço mais alto, pois enfrentam custos cada vez maiores. Nesse mercado de fundos de empréstimo, o preço é a taxa de juros real. Os poupadores, os produtores de fundos para empréstimo, respondem ao preço ofertando mais fundos à medida que a taxa aumenta e menos fundos à medida que a taxa diminui. Os tomadores atuam como consumidores dos fundos de empréstimo – seu comportamento é explicado pela lei da procura. Quando a taxa de juros é alta, eles estão menos dispostos e capazes de tomar emprestado, e, quando as taxas de juros são baixas, eles estão mais dispostos e capazes de tomar emprestado.

O dinheiro fala mais alto

Investimento

Os recém-chegados à economia ficam, muitas vezes, confusos com o uso do termo investimento. Em economia, investimento significa tomar emprestado para adquirir capital físico. Se o assunto é ações e títulos, então o investimento é entendido como quase o mesmo que poupança. Os poupadores se envolvem em investimento financeiro, que fornece os fundos para os tomadores de empréstimo se envolverem em investimento de capital.

De acordo com a visão ampliada da teoria dos fundos de empréstimo, os poupadores são representados por famílias, empresas, governos e o setor externo. Os tomadores de empréstimo também são representados por esses mesmos setores. Alterações no comportamento de poupadores e tomadores dos vários setores da economia resultam em mudanças na taxa de juros real e variação na quantidade de fundos de empréstimo utilizados. Por exemplo, uma decisão de poupadores estrangeiros de poupar mais nos Estados Unidos resulta em uma taxa de juros real mais baixa e uma quantidade maior de fundos de empréstimo trocando de mãos pelo país. A decisão do governo dos Estados Unidos de tomar dinheiro emprestado e se envolver em déficit orçamentário aumenta a demanda por fundos de empréstimo e resulta em uma taxa de juros real mais alta e em uma quantidade maior de fundos de empréstimo que são trocados. A teoria dos fundos de empréstimo na determinação da taxa de juros é útil para entender as mudanças nas taxas de juros de longo prazo.

PREFERÊNCIA DE LIQUIDEZ

A teoria de preferência de liquidez de John Maynard Keynes explica as taxas de juros nominais de curto prazo. Em vez de olhar para o comportamento da poupança e empréstimo como determinante das taxas de juros, Keynes ensinou que as taxas de juros de curto prazo são uma função da preferência de liquidez dos consumidores ou inclinação para a realização de dinheiro. Na teoria de Keynes, o mercado monetário, não os fundos de empréstimo, é que era fundamental para explicar as taxas de juros.

O mercado monetário é onde o Banco Central fornece dinheiro, e famílias, empresas e governos demandam dinheiro a várias taxas de juros nominais. Os bancos centrais atuam como monopólios regulamentados e emitem dinheiro independentemente da taxa de juros. A preferência de liquidez é a demanda por dinheiro. Com taxas de juros nominais elevadas, as pessoas preferem manter ativos não monetários remunerados, como os títulos corporativos, mas, à medida que as taxas de juros caem, as pessoas ficam mais dispostas a manter dinheiro em caixa como ativo porque não estão sacrificando muito em termos de juros para fazê-lo.

As teorias econômicas competem também

Por que existem duas teorias sobre a determinação da taxa de juros? Os economistas têm teorias concorrentes para muitos fenômenos econômicos. As taxas de juros são apenas um dos muitos conceitos sobre os quais os economistas têm pontos de vista diferentes. A teoria de fundos de empréstimo está associada à economia clássica, enquanto a teoria do mercado monetário está associada à economia keynesiana.

Se quiser diminuir a taxa de juros nominal para incentivar o investimento e o consumo, o Banco Central aumenta a oferta monetária mas, se quiser aumentá-la para reduzir o investimento e o consumo, ele diminui a oferta de dinheiro disponível. Aumentos ou diminuições no produto interno bruto nominal fazem com que a demanda por dinheiro aumente ou diminua.

Se, no entanto, mantiver a oferta monetária constante, os aumentos na demanda por dinheiro resultam em uma taxa de juros nominal mais alta, ao passo que reduz a taxa.

O MERCADO MONETÁRIO
Vou querer Letras do Tesouro com uma porção de fritas

Conforme descrito anteriormente, o mercado monetário é onde o Banco Central fornece dinheiro, e famílias, empresas e governo demandam dinheiro a várias taxas de juros nominais. Empresas, bancos e governos conseguem obter financiamento de curto prazo no mercado monetário. Os títulos (instrumentos financeiros como ações e bônus) com prazos inferiores a um ano estão incluídos nesse mercado.

NOTA PROMISSÓRIA COMERCIAL

As empresas com excelente crédito conseguem facilmente tomar emprestado no mercado monetário emitindo notas promissórias comerciais (*comercial papers*), que nada mais são do que uma promissória de curto prazo. Por exemplo, a *Corporação Gigante* espera o pagamento de seus clientes no final do mês, mas tem que pagar seus funcionários antes disso. Nesse caso, a *Corporação Gigante* pode emitir uma nota promissória em troca de dinheiro para pagar seus funcionários. Assim que os clientes fizerem o pagamento, a empresa pode, por sua vez, reembolsar os detentores de sua nota promissória comercial. Para a empresa, as notas promissórias comerciais permitem o gerenciamento do fluxo de caixa a uma taxa mais barata do que se tomasse um empréstimo de longo prazo, e para o credor fornece uma maneira líquida e relativamente segura de ganhar um pouco de juros com seu dinheiro extra.

A nota promissória comercial é uma dívida não garantida, ou seja, não representa qualquer tipo de participação no capital e que nenhuma garantia é oferecida em troca. Você é reembolsado pelo fluxo de caixa (conforme o exemplo que acabamos de apresentar, à medida que os clientes pagam à *Corporação Gigante* no final do mês, você recebe de volta seu investimento original mais juros). Se a empresa não o reembolsar, você fica preso sem muitas boas opções. Você não pode enviar para a empresa aquele sujeito que faz cobranças no bairro e confiscar o mobiliário do escritório.

As empresas sem um crédito muito bom têm que oferecer taxas de juros mais altas para conseguir algum tomador, que assumirá um risco maior que o usual. A demanda é muito maior para notas promissórias comerciais com melhor classificação de crédito. As notas promissórias comerciais são geralmente vendidas em grandes blocos (digamos 100 mil reais por emissão), os juros são tributáveis e a *Securities and Exchange Commission*[3] (SEC) não regulamenta a sua venda. É por isso que os fundos do mercado monetário são populares entre investidores privados (os pequenos como você e eu). Eles permitem a diversificação, espalhando o risco por uma série de investimentos diferentes em nota promissória comercial.

LETRAS DO TESOURO

Da mesma forma que as corporações, às vezes o governo dos Estados Unidos necessita de um pouco de dinheiro em mãos para fazer as rodas de governança funcionar sem problemas. Quando isso acontece, o governo faz um leilão de Letras do Tesouro (*T-bills*) para suas necessidades de caixa de curto prazo. As *T-bills* têm vários vencimentos inferiores a um ano. Os investidores gostam das *T-bills* porque lhes permitem ganhar juros sem risco, mantendo a liquidez no caso de precisarem do dinheiro rapidamente para outros fins. O governo se beneficia porque as *T-bills* fornecem um acesso fácil ao dinheiro para gastos governamentais, e que governo não gosta de acesso fácil ao dinheiro?

Como funciona o desconto

As *T-bills* são diferentes de outras formas de títulos do governo, porque são vendidas com um desconto sobre o valor de face. As *T-bills* têm um valor de face de mil dólares, mas os compradores pagam menos do que isso. A diferença entre o valor de face e a quantia paga representa um pagamento de juros. Por exemplo, se a Pessoa Rica comprar uma *T-bill* de mil dólares de 52 semanas por 950 dólares, ela receberá juros de 50 dólares no vencimento, o que equivale a ganhar 5,26% sobre um investimento de 950 dólares.

---

3 Órgão equivalente à Comissão de Valores Mobiliários no Brasil. (N.T.)

FUNDOS FEDERAIS

Os bancos, como qualquer outra empresa, às vezes precisam ter acesso a mais dinheiro do que têm guardado no cofre. Para atender a suas necessidades de financiamento de curto prazo, eles emprestam e tomam emprestado de fundos federais. Os bancos podem emprestar mutuamente no mercado de fundos federais para satisfazer suas exigências de reservas legais ou para cumprir os seus saldos de compensação contratuais. Esse componente do mercado monetário é importante para manter a liquidez dos bancos. Ele também aumenta a eficiência ao incentivar que os bancos coloquem todas as suas reservas em excesso disponíveis para trabalhar ganhando um retorno. Como os bancos mantêm a maior parte de suas reservas depositadas no Banco Central, a troca desses fundos federais ocorre quase imediatamente à medida que os bancos trocam os seus saldos de reservas entre si. O Fed, nos Estados Unidos, afeta esse mercado ao influenciar as taxas dos fundos federais, que é a taxa de juros que os bancos cobram entre si pelo uso dos fundos de um dia para o outro (*overnight*).

O MERCADO DE TÍTULOS
Meu nome é Bond, cupom Bond[4]

Para financiamento de longo prazo, governos e empresas podem contrair empréstimos no mercado de títulos (*bonds*). Ao comprar títulos, os investidores estão emprestando dinheiro aos vendedores com a expectativa de que serão reembolsados pelo principal mais juros. Para os emitentes, o mercado de títulos proporciona um meio eficiente para tomar emprestado grandes somas de dinheiro. Para o comprador, os títulos proporcionam um investimento financeiro relativamente seguro que oferece taxas de juros.

TÍTULOS DO GOVERNO FEDERAL

Você provavelmente está familiarizado com dois tipos de títulos nos Estados Unidos:

- Títulos com cupom são vendidos ao valor de face ou perto dele e fornecem pagamentos de juros garantidos.
- Títulos de cupom zero são vendidos com desconto em relação ao valor de face e pagam o valor de face no vencimento.

Ambos os tipos representam um investimento atraente para quem busca renda de juros, mas preservando seu principal. A capacidade de vender títulos no mercado secundário torna-os relativamente líquidos, o que também é importante para os investidores.

O governo dos Estados Unidos emite vários tipos de títulos com prazos superiores a um ano. As notas do Tesouro e os títulos do Tesouro são as fontes primárias para o financiamento do orçamento federal.

- As notas do Tesouro são obrigações de médio prazo com vencimentos que variam de dois a dez anos.
- Os títulos do Tesouro são obrigações de longo prazo com vencimento superior a trinta anos.

---

[4] "Título" em inglês é *bond*. O autor brinca com o bordão dos filmes de *007*, quando o personagem principal diz "Meu nome é Bond, James Bond". (N.T.)

A taxa de juros da nota do Tesouro de dez anos é importante porque serve de taxa de juros de referência para títulos corporativos e hipotecas. À medida que a taxa de juros das notas do Tesouro de dez anos flutua, as taxas corporativas e as taxas das hipotecas também flutuam.

Além do Tesouro, agências independentes do governo dos Estados Unidos podem contrair empréstimos emitindo títulos. Embora sem a garantia de reembolso proporcionada pelas obrigações do Tesouro, os títulos das agências são respaldados pelo governo e, como tal, são vistos como praticamente garantidos. A Associação Federal de Hipotecas Nacionais (Federal National Mortgage Association – Fannie Mae), a Corporação Federal de Hipotecas Imobiliárias (Federal Home Loan Mortgage Corporation – Freddie Mac) e a Associação de Marketing de Empréstimos Estudantis (Student Loan Marketing Association – Sallie Mae) são agências bem conhecidas que emitem títulos com a finalidade de financiar suas operações. Os títulos de agências fornecem uma alternativa aos investidores que buscam a segurança dos títulos do governo, mas com taxas de juros mais altas.

TÍTULOS DOS GOVERNOS ESTADUAIS E MUNICIPAIS

Os governos estaduais e municipais também podem contrair empréstimos no mercado de títulos. Os títulos municipais muitas vezes financiam escolas, estradas e outros projetos públicos. Os juros pagos nos títulos municipais são isentos de impostos federais, o que os torna atraentes aos investidores. Como os juros são isentos de impostos, os títulos municipais não precisam oferecer uma taxa de juros tão elevada para atrair os investidores. Consequentemente, os governos estaduais e municipais conseguem tomar emprestado a juros mais baixos do que o setor privado.

TÍTULOS CORPORATIVOS

As empresas conseguem contrair empréstimos no mercado de títulos através da emissão de títulos corporativos. Os títulos corporativos fornecem às empresas o dinheiro de que necessitam para investimento de capital sem ter de obter financiamento bancário. Além disso, os títulos corporativos permitem que as empresas obtenham recursos sem diluir a propriedade da companhia. A principal vantagem dos títulos é que eles propiciam às empresas uma alavancagem financeira. Por exemplo, se uma empresa tem mil reais para investir em capital e pode esperar um retorno de 10%, ela vai ganhar 100 reais com o investimento. Se, no entanto, a empresa empresta 1 milhão de reais e investe em capital que oferece retorno de 10% ao ano, ela consegue ganhar 100 mil reais sem arriscar o próprio dinheiro. Como as empresas não têm a capacidade de tributar para reembolsar os títulos (e, portanto, ocasionalmente deixam de pagá-los), os investidores exigem uma taxa de juros mais alta nos títulos corporativos do que nos títulos municipais ou do Tesouro, para compensar o aumento do risco.

RISCOS DOS TÍTULOS

Os títulos não deixam de ter suas desvantagens. Os investidores enfrentam o risco do investimento, o risco da inflação, o risco da taxa de juros e o risco da chamada antecipada (a chamada antecipada significa que o emissor pode recolher ["retirar"] o título antes da data de vencimento esperada).

- Como existe a possibilidade de que governos ou empresas deixem de honrar o reembolso do dinheiro emprestado, todos os detentores de títulos enfrentam o risco do investimento.
- Se a taxa de inflação aumenta durante a vigência de um título, o retorno do investidor é compensado pela inflação.
- Se as taxas de juros aumentam durante a vigência de um título, o valor do título diminui até que seu rendimento efetivo se iguale à nova taxa de juros mais elevada. Para os detentores de títulos, isso significa que eles podem perder capital se tentarem vendê-lo antes do vencimento.
- Se as taxas de juros diminuem durante a vigência do título, o emissor pode achar vantajoso retirar ou chamar os títulos antigos e refinanciar a uma nova taxa de juros mais baixa. Para os detentores de títulos, isso significa que eles deixam de ganhar a taxa de juros maior que receberiam quando o título vencesse.

Os potenciais investidores confiam nas agências de classificação de risco para determinar a qualidade dos títulos. Moody's, Standard & Poor's e Fitch classificam os títulos de "premiado" a "grau de investimento" a "lixo", e todo o caminho até "negligência". À medida que cai a classificação de risco de um título, o emissor deve recompensar o investidor com uma taxa de juros mais elevada para compensar o risco adicional. As agências de classificação de risco oferecem um serviço útil e fornecem informações muito necessárias para o consumidor.

No entanto, os consumidores não devem contar apenas com as classificações dos títulos. Questões sérias sobre o processo de classificação de risco surgiram na crise financeira de 2008. Naquele momento, muitos títulos foram tão rapidamente rebaixados que os investidores que acreditavam possuir títulos com classificação "premiado" descobriram que possuíam títulos "lixo" em um curto período de tempo.

TAXAS DE JUROS REVISITADAS

As taxas de juros são constituídas por vários componentes: taxa real, prêmio pela inflação esperada, prêmio pelo risco de não pagamento, prêmio de liquidez e risco de vencimento. A taxa real e o prêmio de inflação esperada constituem a taxa de retorno livre de risco. A taxa de retorno livre de risco atua como referência na qual todas as outras taxas de juros se baseiam. Hoje, os vários títulos emitidos pelo Tesouro dos Estados Unidos são os indicadores para a taxa de retorno livre de risco.

Os títulos do Tesouro recebem essa distinção porque os Estados Unidos nunca deixaram de pagar as dívidas em sua história de mais de 220 anos, e o mercado secundário para títulos do Tesouro dos Estados Unidos é considerado "profundo" porque é respaldado pela plena fé e crédito do país. A importância do mercado secundário para o Tesouro não pode ser subestimada. Como muitos governos, bancos, empresas e indivíduos desejam títulos do Tesouro dos Estados Unidos como um lugar sem risco para colocar seu dinheiro, uma condição é criada quando não há dúvida sobre a liquidez dos títulos. O único risco apreciável enfrentado pelos detentores de títulos do Tesouro é o risco de vencimento. Quanto mais longo o prazo de um título, maior a probabilidade de que as taxas de juros mudem em comparação às taxas que eram cobradas na época da compra. Se as taxas de juros subirem inesperadamente durante a vigência do título, o valor do título diminuirá. Conforme os preços dos novos títulos caem, aumenta a taxa de juros efetiva sobre os títulos, o que torna os títulos emitidos anteriormente menos atraentes. Isso, por sua vez, torna-os menos valiosos.

O MERCADO DE AÇÕES
Comprando ações de empresas

De todos os mercados financeiros, nenhum recebe tanta cobertura da mídia como o mercado de ações. Ao contrário dos mercados de títulos, nos quais os investidores fazem empréstimos para governos e empresas, é no mercado de ações que os investidores conseguem adquirir a participação parcial em empresas por meio da compra de ações.

AÇÕES, SIMPLIFICADO

As empresas privadas não emitem ações para compra pública. Em vez disso, elas mantêm as ações entre um pequeno grupo de proprietários, geralmente os fundadores. No entanto, para as empresas que querem ou necessitam de investimento externo, a negociação em uma das bolsas de valores é uma boa maneira de fazer isso.

- As empresas conseguem levantar o dinheiro de que necessitam para investimento de capital emitindo ações em uma oferta pública inicial (Initial Public Offering – IPO).
- Os investidores compram as ações com a expectativa de que elas pagarão dividendos ou obterão ganhos de capital. Os investidores ganham dividendos quando uma empresa divide uma parcela de seus lucros entre todos os proprietários conforme a quantidade de ações que cada um possui. Por exemplo, se existem 100 cotas de ações para uma empresa e ela obtém lucros de 1 milhão de reais e decide distribuir metade dos lucros para seus acionistas e reinvestir a outra metade, cada cota de ações receberá dividendos de 500 mil reais/100 ou 5 mil reais.
- As ações geram ganhos de capital quando são vendidas a um preço mais elevado do que aquele pelo qual foram adquiridas. Suponha que você compre uma ação da General Motors por 35,75 reais e, poucos meses depois, a GM anuncia um novo carro excepcional que funciona com luz solar em vez de gasolina. Parece provável que a GM ganhará muito dinheiro ao vender esse carro, de modo que as pessoas querem comprar ações da empresa. A demanda faz com que o preço da ação suba. Quando ele alcança

50,25 reais, você decide vender e realizar um ganho de capital de 14,50 reais.

O dinheiro fala mais alto

Opções de compra e venda de ações

As opções de compra e venda de ações são um derivativo que permite a aquisição de cotas de ações a um preço determinado. As empresas muitas vezes emitem opções de ações para funcionários importantes como uma recompensa pelo desempenho. Os destinatários podem vender seu contrato de opção na bolsa de opções ou esperar e exercer a sua opção quando o preço da ação aumentar.

A maioria das compras e vendas de ações ocorre no mercado secundário. Ao colocar uma ordem para comprar ações, é mais provável que você compre ações que anteriormente eram de propriedade de outro indivíduo. Se Tina compra ações da Coca-Cola no mercado, ela está comprando de outra pessoa, não da Coca-Cola. Se ela paga 150 reais por duas ações da Coca-Cola, algum outro investidor que vendeu as ações receberá 150 reais, mas a Coca-Cola não receberá nada. A única vez que a empresa recebe dinheiro em uma compra de ações é por meio de uma IPO ou quando a empresa vende ações que havia recomprado antes.

TIPOS DE AÇÕES

As empresas emitem dois tipos de ações: ordinária ou preferencial. A ação ordinária propicia aos investidores a propriedade parcial de uma empresa e também lhes concede o direito de votar nos gestores da empresa. A ação preferencial também proporciona uma reivindicação de propriedade de uma empresa, mas não permite o privilégio de voto. As ações preferenciais são assim chamadas porque os acionistas preferenciais são pagos antes dos acionistas ordinários no recebimento dos dividendos. A decisão de emitir ações ordinárias ou preferenciais é influenciada pelas possíveis desvantagens de cada tipo. Como as ações ordinárias permitem aos acionistas uma voz na governança corporativa, os fundadores originais de uma empresa podem ser deslocados se os novos acionistas ordinários obtiverem uma maioria de ações e elegerem nova liderança. Como as ações preferenciais garantem dividendos aos acionistas, as empresas que buscam crescer reinvestindo os lucros podem ser prejudicadas por essa obrigação.

ENTÃO, QUAL É O OBJETIVO DISSO TUDO?

Em última análise, a função desses vários mercados é permitir que os poupadores se conectem com os tomadores. As empresas que procuram expandir seu investimento de capital olham para o mercado de títulos e o mercado de ações como uma fonte para os recursos necessários. As empresas são muito conscientes de seus custos operacionais; portanto, encontrar a combinação adequada de ações e títulos, ou estrutura de capital, com a qual financiar o investimento é importante tanto para os negócios quanto para a economia como um todo.

Taxa de juros e investimento

Há uma relação inversa entre a taxa de juros e o investimento. Quanto menor a taxa de juros, menor o custo do capital e mais empresas conseguem investir em capital físico. Da mesma forma, à medida que a taxa de juros aumenta, o custo do capital aumenta, e as empresas ficam menos dispostas a investir em capital físico.

Baixas taxas de juros são suficientes para incentivar o investimento? Infelizmente, a resposta para a pergunta é não. A decisão de uma empresa de investir em capital também está condicionada às taxas esperadas de retorno. Se as empresas esperam taxas de retorno mais altas, elas ficam mais dispostas a investir a cada taxa de juros. Se as empresas acham que há pouca chance de auferir um lucro, então elas ficam muito menos dispostas a investir em capital.

Eis uma maneira de analisar os efeitos das taxas de juros e das taxas esperadas de retorno em um negócio: imagine que a taxa esperada de retorno seja a pressão aplicada no acelerador de um carro e que a taxa de juros seja a pressão aplicada no pedal do freio. O aumento das oportunidades de lucro é representado pela pressão no acelerador, e as menores oportunidades de lucro são representadas por deixar o seu pé fora do acelerador. De forma semelhante, o aumento das taxas de juros é representado pela pressão no pedal do freio, as taxas de juros mais baixas são representadas por colocar menos pressão no pedal do freio e taxa de juros zero é análoga a não colocar nenhuma pressão nesse pedal. Se as taxas de juros são baixas e os lucros esperados são altos, o negócio avança com o investimento e cresce. Se, no entanto, a taxa de juros for maior do que a taxa de retorno esperada, as empresas ficam paradas. No final, os aumentos na taxa de retorno esperada aceleram o investimento, enquanto os aumentos na taxa de juros o desaceleram, ou até mesmo o levam a uma parada completa.

CÂMBIO E TAXAS DE CÂMBIO

C'est la vie, no es?

Conhecendo-o ou não, o câmbio faz parte de sua vida cotidiana. Dos produtos que compra às férias que tira, o câmbio afeta muito daquilo que você faz. O fluxo de moeda entre nações também é uma questão de manter registros. O balanço de pagamentos registra todas as entradas e saídas de moeda de um país. A soma de exportações líquidas, renda líquida de fatores externos e transferências líquidas é o saldo em conta-corrente, enquanto o investimento externo líquido e as reservas oficiais compõem a conta financeira.

TAXAS DE CÂMBIO

O que determina o preço das maçãs? Se você respondeu a oferta e a procura, então está certo. O que determina o preço de câmbio de um dólar? Mais uma vez, se você disse a oferta e a procura, então acertou no alvo. Sempre que uma moeda é trocada por outra, ocorre o câmbio e uma taxa de câmbio é paga. A taxa de câmbio não é nada mais do que o preço atual de uma moeda em termos de outra moeda. Por exemplo, 1 dólar pode comprar 0,73 euro, 0,64 libra, 89,41 ienes ou 1,07 franco suíço.

As taxas de câmbio são determinadas no maior mercado do mundo, o mercado de câmbio. O volume de comércio anual aproxima-se de 1 quatrilhão (mil trilhões) de dólares, com transações que ocorrem 24 horas por dia. O mercado de câmbio é dominado por britânicos, norte-americanos e japoneses, com a maioria dos negócios em dólar. O euro (€), a libra esterlina (£), o iene japonês (¥) e o franco suíço (S_{Fr}) são as outras moedas fortes mais frequentemente negociadas.

Quem está envolvido?

- Os grandes bancos são os principais participantes do mercado de câmbio, reunidos por meio de um sistema de corretores interligados. Os bancos atendem os clientes corporativos e individuais que precisam de câmbio de moeda estrangeira para conduzir seus negócios.

- Os bancos centrais também participam no mercado cambial para gerenciar as taxas de câmbio ou corrigir desequilíbrios entre as contas-correntes e financeiras de seu país.
- Finalmente, os especuladores que buscam lucrar com oportunidades de arbitragem também participam desse imenso mercado.

Encontrar boas taxas de câmbio

Ao viajar, muitas vezes você pode encontrar as melhores taxas de câmbio em seu cartão de crédito ou ao sacar em um caixa eletrônico. Os bancos são os principais participantes no mercado cambial e conseguem oferecer aos seus clientes algumas das taxas mais competitivas.

As taxas de câmbio estão sujeitas às forças da oferta e da procura. À medida que as taxas de câmbio aumentam, as pessoas ficam mais dispostas a vender sua moeda, mas outras ficam menos dispostas a comprar, e o contrário também é verdadeiro. A valorização ocorre quando uma taxa de câmbio aumenta, e a depreciação ocorre quando as taxas de câmbio caem. Mudanças nas taxas de câmbio podem causar estragos nos negócios e em economias inteiras. Os economistas e os políticos devem, portanto, considerar as implicações de suas ações nas taxas de câmbio. Gostos, taxas de juros, inflação, renda relativa e especulação afetam as taxas de câmbio e, portanto, a economia como um todo.

Gosto e preferência

À medida que mudam os gostos dos consumidores por produtos importados, o mesmo acontece com a taxa de câmbio entre os países envolvidos. A popularidade dos carros e produtos eletrônicos de consumo vindos da Coreia do Sul entre os consumidores norte-americanos cria necessariamente uma demanda pela moeda sul-coreana, o won (₩). Para adquirir produtos da Coreia do Sul, os importadores norte-americanos devem oferecer dólares e demandar won no mercado cambial. O resultado dessa mudança nos gostos é uma desvalorização do dólar e uma valorização do won.

Ao longo do tempo, a valorização da moeda de um país pode reduzir a popularidade de seus produtos, pois eles ficam relativamente mais caros. Considerando que as pessoas em geral preferem produtos relativamente mais baratos, os fabricantes estrangeiros que exportam mercadorias para os Estados Unidos podem optar por precificar seus produtos diretamente em dólar, em vez de sua moeda nacional. Isso ajuda a isolar o fabricante das mudanças nas taxas de câmbio, que podem reduzir a competitividade de seus produtos no mercado norte-americano. As montadoras alemãs adotam essa prática para compensar os efeitos da força relativa do euro contra o dólar.

Taxas de juros e inflação

Mudanças nas taxas de juros reais também afetam o mercado de câmbio. Ao contrário dos fluxos de comércio, que tendem a ser bastante estáveis, mudanças nas taxas de juros podem causar súbitas flutuações nas taxas de câmbio. Os poupadores são atraídos por altas taxas de juros, de modo que, quando a taxa de juros real de um país sobe em relação à de outro, a poupança flui para a taxa de juros mais elevada. Com todos os outros itens constantes, aumentos nas taxas de juros norte-americanas em relação às taxas de juros japonesas causam um aumento da oferta de ienes e um aumento na demanda por dólares, pois os poupadores japoneses procuram ganhar taxas de juros norte-americanas mais elevadas. O resultado é um dólar apreciado e um iene desvalorizado. No final, a valorização do dólar em relação ao iene acaba compensando quaisquer ganhos obtidos com a diferença na taxa de juros. Isso é chamado de paridade da taxa de juros.

O custo cambial

O câmbio tem um custo definido atrelado a ele. Se você optar por participar no mercado cambial, saiba que provavelmente enfrentará taxas de câmbio diferentes na compra e na venda de moedas. Assim, ao abrir uma conta em um banco francês, pense no custo de comprar e vender seus euros antes de lucrar com uma taxa de juros mais alta.

A presença da inflação numa economia fornece um incentivo para que seu povo troque sua moeda por outra mais estável. A inflação do Zimbábue reduziu o valor de sua moeda a um ponto em que uma folha de papel valia mais do que uma nota de sua moeda. Zimbabuanos racionais que tentam preservar o valor trocam avidamente o dólar do Zimbábue por qualquer moeda disponível, como o rand da África do Sul. A consequência da inflação é não só reduzir o valor da moeda internamente, como também em moeda estrangeira.

Renda relativa e especulação

Provavelmente, a consequência que vai mais contra a intuição resulta das diferenças nas taxas de crescimento econômico. À medida que a renda de uma economia aumenta em relação à de outro país, a taxa de câmbio entre os dois se altera. Por exemplo, se a renda do Canadá aumentar em relação à renda dos Estados Unidos, o dólar canadense enfraquece em relação ao dólar dos Estados Unidos. Por quê? Como os canadenses passam a ter rendimentos mais elevados, a sua propensão para importar também aumenta. Em outras palavras, à medida que você fica mais rico, você vai às compras com mais frequência e oferece mais moeda no mercado de câmbio. O resultado pouco intuitivo é que, quando uma economia se fortalece, a sua moeda enfraquece, e quando uma economia enfraquece, a sua moeda se fortalece.

O forte e o fraco, o bom e o ruim

Ao longo de um ano, você pode ouvir especialistas lamentarem pelo tamanho do déficit comercial, enquanto outros mais tarde podem reclamar de um dólar fraco. Na realidade, um dólar fraco é o remédio para um déficit comercial. Os dólares depreciados incentivam as exportações e desestimulam as importações. Palavras como forte e fraco podem ser enganosas. Elas não significam necessariamente algo bom ou ruim.

Bancos, empresas e indivíduos que tentam lucrar com o câmbio especulam no mercado. Por exemplo, um especulador pode suspeitar que as taxas de juros europeias vão subir mais rapidamente do que as taxas de juros norte-americanas; assim, ele compra euros e os mantém até que tenham valorizado o suficiente para apresentar um lucro. Para a maioria das pessoas, porém, especular em câmbio é tão lucrativo quanto jogar na roleta em Las Vegas.

Embora a especulação seja arriscada, os especuladores efetivamente desempenham uma importante função econômica, pois assumem o risco cambial. Empresas avessas ao risco envolvidas em divisas preferem saber exatamente que taxa de câmbio vão pagar ou receber ao realizar suas transações. Essas empresas adquirem um contrato de futuros que garante uma taxa de câmbio específica para evitar mudanças súbitas nas taxas de câmbio que possam reduzir a lucratividade de suas transações.

A lei do preço único e paridade do poder de compra

A especialização e o comércio baseiam-se em vantagem comparativa, diferenças de capital e mão de obra e diversidade no consumo. As taxas de câmbio, no entanto, não devem determinar a especialização. De acordo com a lei econômica do preço único, ou paridade do poder de compra, após contabilizar a taxa de câmbio, os preços de bens similares devem ser os mesmos, independentemente de onde sejam comprados.

Suponha que a taxa de câmbio entre o dólar dos Estados Unidos e o franco suíço seja tal que US\$ 1 = S_{Fr} 1,10. Em longo prazo, um par de esquis de neve, vendido por um preço médio de 500 dólares nos Estados Unidos, deve, portanto, ser vendido por um preço médio de 550 francos suíços na Suíça. E se os esquis forem vendidos na Suíça por um preço médio de 600 francos suíços? Os consumidores suíços se beneficiariam da importação de esquis dos Estados Unidos, fornecendo francos suíços e demandando dólares norte-americanos no mercado de câmbio, até que a taxa de câmbio reflita a paridade do poder de compra.

EXPORTAÇÕES E BALANÇA COMERCIAL

Nada além de líquido

Nos Estados Unidos, a maioria dos produtores se preocupa em atender às demandas do mercado interno. Alguns, porém, produzem bens e serviços para exportação aos mercados estrangeiros. Outras empresas importam aqueles bens e serviços para os quais há uma demanda ou que o país não produz. Metade do comércio dos Estados Unidos ocorre com Canadá, México, China, Japão, Alemanha e Reino Unido.

A BALANÇA COMERCIAL

As exportações líquidas, ou balança comercial, correspondem ao valor de todas as exportações menos o valor de todas as importações. As exportações líquidas dos Estados Unidos são negativas porque o valor das importações supera o valor das exportações. Isso é chamado de déficit da balança comercial.

Outros países como China, Alemanha e Japão têm superávits da balança comercial porque o valor de suas exportações supera o das importações. Surpreendentemente, embora os Estados Unidos tenham um déficit da balança comercial, o país ainda é o maior exportador mundial com 12% da participação global, em comparação com a China, com apenas 6,4%.

A balança comercial pode ser ainda subdividida em balança comercial de bens e balança comercial de serviços. Para os Estados Unidos, a balança comercial de bens é o que contribui para o déficit comercial. Os americanos têm uma preferência por bens de consumo e recursos. Por outro lado, os Estados Unidos tendem a ser um exportador líquido de serviços. Os serviços de transporte e *know-how* logístico do país – bem como os serviços de engenharia, jurídicos e outros serviços técnicos – são exportados para o resto do mundo.

O Escritório de Análises Econômicas

O Escritório de Análises Econômicas (*Bureau of Economic Analysis* - BEA) do Departamento de Comércio dos Estados Unidos é a agência governamental responsável por medir a balança comercial. Segundo o BEA, em 2008 o déficit comercial medido chegou a aproximadamente 696 bilhões de dólares. A composição desse valor era de déficit em bens no valor de 840 bilhões de dólares, combinado com um superávit em serviços no valor de 144 bilhões de dólares.

Renda líquida do fator externo

Sempre que são empregados terra, trabalho, capital e empreendedorismo, eles recebem pagamentos de aluguel, salários, juros e lucros. Não importa se os fatores são empregados internamente ou no exterior. Quando os fatores de produção são empregados no exterior ou os proprietários desses fatores residem no exterior, então os pagamentos dos fatores requerem câmbio. Independentemente de se tratar de uma entrada de rendimento de fatores externos ou uma saída de pagamentos de fatores externos, o câmbio é necessário.

Transferências líquidas

Outras ações além do comércio exigem câmbio. Os pagamentos de transferências, chamados de remessas, e a ajuda externa criam fluxos de moeda dos países ricos para os países pobres nos mercados cambiais. As remessas diferem do rendimento de fator externo porque não são recebidas pelos beneficiários. A ajuda externa na forma de pagamentos em dinheiro também gera uma necessidade de câmbio. Os pagamentos de ajuda externa dos Estados Unidos para Paquistão, Israel e Egito são exemplos.

Investimento estrangeiro líquido

Ao contrário das exportações líquidas, da renda líquida de fatores externos e das transferências líquidas, que envolvem câmbio uma única vez, o investimento estrangeiro líquido cria pagamentos e rendimento recorrentes. Quando os cidadãos de um país adquirem ativos reais ou financeiros de outro país, isso é classificado como investimento estrangeiro líquido. O investimento estrangeiro líquido também inclui o investimento em carteira. O investimento em carteira ocorre quando os estrangeiros adquirem os ativos financeiros de outro país. Durante a recente crise financeira, o dólar se valorizou rapidamente quando os investidores estrangeiros passaram a buscar a segurança de letras, notas e títulos do Tesouro dos Estados Unidos. Comprar ações de empresas estrangeiras é outra forma de investimento em carteira. Como os países em desenvolvimento muitas vezes têm taxas mais altas de crescimento econômico e taxas de juros mais elevadas, os investidores estrangeiros podem comprar títulos e ações desses países.

O fraco *versus* o forte

O que é melhor, um dólar fraco ou um dólar forte? Depende. Você vai importar ou exportar? Os importadores se beneficiam de um dólar forte, pois isso torna os produtos estrangeiros relativamente baratos. Os exportadores se beneficiam de um dólar fraco, pois isso torna os produtos norte-americanos relativamente baratos. Assim, se você for tirar férias no exterior, reze por um dólar forte; contudo, se estiver lá fora, reze para que ele enfraqueça no voo de volta para que você lucre com o câmbio ao retornar.

O investimento estrangeiro é uma fonte importante de poupança para o país que o acolhe. Essa poupança pode ser utilizada para investir em capital físico e expandir a economia de um país. Isso levanta um ponto importante. O saldo da conta-corrente é completamente compensado pelo saldo da conta financeira.

O investimento estrangeiro não deixa de ter suas desvantagens. Tão facilmente quanto pode fluir para um país por meio de investimento em carteira, a poupança também pode sair. Uma saída súbita de poupança pode precipitar uma crise cambial, inflação e altas taxas de juros para o país afetado. Esse fenômeno ocorreu antes. A crise financeira argentina de 2001 é um exemplo marcante. A Argentina deixou de pagar sua dívida externa e logo a poupança fluiu para fora do país, o que gerou problemas financeiros, além de turbulências políticas.

Controles de capital

Os países que temem a saída de capitais muitas vezes decretam controles de capital. Os controles de capital limitam a capacidade da poupança de fluir para fora de um país. Durante a crise financeira asiática do final da década de 1990, a Índia se saiu muito bem, pois os controles de capital limitaram a saída de poupança do país. A desvantagem dos controles de capital é que fornecem uma razão para os investidores estrangeiros evitarem colocar suas economias nesse país. Às vezes, a mera menção dos controles de capital já é o suficiente para que ocorra a fuga de capitais.

RESERVAS OFICIAIS E POLÍTICA CAMBIAL

Ou por que o euro existe

Além do investimento estrangeiro, a conta financeira da balança de pagamentos inclui as reservas oficiais. Os bancos centrais mantêm reservas em móeda estrangeira ou reservas oficiais. O objetivo das reservas oficiais é fornecer uma influência estabilizadora no mercado cambial. Se ocorrer um déficit na balança de pagamentos, o Banco Central reduz suas reservas em moeda estrangeira a fim de zerar o saldo. No caso de um superávit na balança de pagamentos, o Banco Central adquire mais reservas estrangeiras para zerar o saldo.

O DÓLAR DOS ESTADOS UNIDOS COMO RESERVA EM MOEDA ESTRANGEIRA

Os Estados Unidos estão na posição única de emitir moeda de reserva para a maioria dos países, pois as reservas em moeda estrangeira de muitos países estão em dólares norte-americanos. O tamanho das reservas oficiais da China e do Japão tem sido motivo de preocupação para muitos da comunidade financeira. Em 2015, esses países asiáticos tinham mais de 5 trilhões de dólares em reservas. Alguns políticos, economistas e especialistas financeiros temem que, se a China ou o Japão reduzissem suas reservas de dólares, um colapso poderia ocorrer devido a um súbito aumento da oferta de dólares no mercado cambial. Outros afirmam que isso também seria muito prejudicial para a própria China ou Japão e que, portanto, eles teriam pouco incentivo para despejar seus dólares.

FIXO OU FLUTUANTE? EIS A QUESTÃO

No final da Segunda Guerra Mundial, os países que queriam estimular a cooperação internacional e reduzir os incentivos econômicos para a guerra reuniram-se em Bretton Woods, New Hampshire, e estabeleceram um sistema de taxa de câmbio fixo atrelado ao dólar.

O benefício desse sistema era que as empresas poderiam facilmente atuar no comércio exterior sem medo de perder dinheiro com a flutuação das taxas de câmbio. Além disso, ao atrelar as moedas ao dólar estável, os governos estrangeiros seriam responsáveis por praticar políticas econômicas sólidas, como a de não gerar inflação imprimindo moeda de forma imprudente. O sistema de Bretton Woods foi muito bem-sucedido de início, mas em 1971 desmoronou completamente.

Hoje existem muitas abordagens para as taxas de câmbio. Alguns países deixam sua moeda flutuar, outros atrelam-na ao dólar, e outros ainda se uniram em torno de uma única moeda.

Os Estados Unidos e o Reino Unido permitem que suas respectivas moedas flutuem no mercado cambial, o que significa que não usam reservas oficiais para manter as taxas de câmbio.

A vantagem desse sistema é que ele dá às autoridades a capacidade de praticar políticas de taxa de juros para incentivar o crescimento interno ou desacelerar a inflação sem ter de considerar as taxas de câmbio.

China, Japão e Hong Kong, porém, atrelam suas moedas ao dólar norte-americano, ativamente negociando seus bens em reservas de divisas. Isso permite que seus respectivos países mantenham uma vantagem competitiva sobre outros no mercado norte-americano. A política cambial chinesa é que mantém as exportações do país relativamente baratas. Em uma taxa de câmbio flutuante, a demanda norte-americana por produtos chineses forçaria a taxa cambial para cima e, eventualmente, tornaria os bens chineses menos desejáveis. A desvantagem para a China é que todo o dinheiro gasto na estabilização da taxa de câmbio poderia provavelmente ser utilizado de uma forma mais rentável. Além disso, administrar a taxa de câmbio significa adquirir cada vez mais ativos financeiros em dólar, o que torna a China vulnerável aos problemas econômicos dos Estados Unidos.

A virada deste século assistiu a outra abordagem da política cambial. A Europa unificou sua economia sob uma única moeda, o euro. França e Alemanha, por exemplo, podem agora negociar livremente sem considerar as taxas de câmbio. O advento do euro criou a segunda maior moeda do mundo, depois do dólar. Apesar de todos os seus benefícios, o euro sofre uma grande desvantagem: os países individuais não podem controlá-lo.

O dinheiro fala mais alto

Política monetária

Esforços do Banco Central de um país para estabilizar os preços, promover o pleno emprego e incentivar o crescimento econômico de longo prazo por meio de controle da oferta monetária e taxas de juros.

Em 2010, a Grécia sofreu um grave golpe financeiro quando a classificação de crédito de sua dívida soberana foi reduzida. Incapazes de executar uma política monetária independente, os gregos foram forçados a reduzir seus gastos e aumentar os impostos, ou arriscar uma inadimplência. A reação da União Europeia a essa crise vai enfraquecer ou reforçar as possibilidades do euro de se tornar a moeda mundial dominante.

O SETOR PRIVADO E O SETOR PÚBLICO

Apenas seguindo o fluxo

Em um sistema econômico, o interesse das pessoas se manifesta nos mercados e pelo processo político. Ambos estão entrelaçados e afetam um ao outro; é pouco provável que um economista analisasse qualquer parte do processo político sem considerar como isso afeta os mercados. Um modelo econômico denominado modelo de fluxo circular mostra a relação entre famílias, empresas, governos e o setor externo enquanto eles interagem nos mercados de produtos (por exemplo, bens), fatores (por exemplo, mão de obra) e financeiros (por exemplo, ações, títulos). Esses mercados também estão inter-relacionados, como você sem dúvida já concluiu das discussões anteriores, mas essa teoria ajuda a mostrar e descrever essa inter-relação.

O SETOR PRIVADO

O ponto de partida para compreender toda a economia é um modelo muito simples que ilustra como as famílias e as empresas interagem no mercado de produtos e no mercado de fatores. O setor privado não é nada mais do que as famílias e as empresas em uma economia. As famílias compram bens e serviços de empresas no mercado de produtos.

O mercado de fatores

Onde as famílias conseguem o dinheiro para comprar bens e serviços?

- As famílias vendem seu trabalho e empreendedorismo às empresas (no mercado de fatores) em troca de salários e lucros.
- As famílias também vendem recursos naturais para as empresas em troca de aluguéis.

- Ao trabalhar para outra pessoa, você vende o seu trabalho no mercado de fatores, assim obtém os bens e serviços que quer e precisa no mercado de produtos.
- Como proprietário de empresa ou empreendedor, você vende a sua capacidade empresarial em troca de lucros da empresa.

As empresas empregam terras, mão de obra, capital e empreendedorismo para fornecer bens e serviços.

Fluxo de fatores e fluxo de mercado

Existem dois conjuntos de fluxos entre famílias e empresas. Fluindo em uma direção estão bens e serviços no mercado de produtos; e no mercado de fatores estão terra, trabalho, capital e empreendedorismo. O gasto de consumo flui na direção oposta à dos bens e serviços. Fluindo na direção oposta aos fatores de produção estão os pagamentos dos fatores, que incluem aluguel, salários, juros e lucros.

O SETOR PÚBLICO

Observe que o modelo simples do setor privado ignora tudo o que o governo faz. Portanto, temos que considerar o setor público da economia do mesmo modo que o setor privado. O setor público refere-se a todos os níveis de governo, do municipal ao federal. O setor público interage com as famílias ao adquirir alguns dos fatores de produção (como terras ou mão de obra) em troca de pagamentos dos fatores (salário, aluguel ou juros). O governo também interage com as empresas ao comprar bens e serviços no mercado de produtos.

O governo reúne os fatores de produção com os bens e serviços que compra das empresas para fornecer bens e serviços públicos ao setor privado. Defesa nacional, polícia, proteção contra incêndios, escolas, bibliotecas e estradas são exemplos dos tipos de bens e serviços públicos fornecidos pelo setor público.

Impostos nos mercados de fatores e produtos

Onde o governo obtém a renda para comprar os fatores de produção das famílias e os bens das empresas? Impostos, tanto no mercado de fatores quanto no mercado de produtos, são a fonte de renda dos governos. Os impostos sobre o rendimento pessoal e os lucros das empresas são recolhidos no mercado de fatores. O imposto sobre vendas é um exemplo de imposto cobrado no mercado de produtos. Às vezes, o governo subsidia as empresas, o que representa um fluxo de dinheiro do governo para as empresas. De forma semelhante às empresas que recebem subsídios, muitas famílias recebem pagamentos de transferências, como a Previdência Social e benefícios sociais.

O SETOR EXTERNO

É um mundo muito pequeno

Naturalmente, a economia doméstica não existe isoladamente, com os Estados Unidos flutuando em sua própria pequena bolha econômica. Os Estados Unidos fazem parte da economia mundial muito maior. O setor externo refere-se ao resto do mundo.

VOCÊ DIZ BATATA, EU DIGO *POTATO*

A economia norte-americana interage com o resto do mundo tanto no mercado de produtos quanto no de fatores (sem mencionar os mercados financeiros, discutidos mais adiante no livro). A teoria do fluxo circular explica a interação dos mercados em toda essa economia mundial mais ampla, não apenas no mercado interno.

Importação e exportação

No mercado de produtos, nem todos os bens e serviços fluem para o governo nacional e as famílias do país. Alguns desses bens e serviços produzidos internamente são exportados para pessoas de outros países. Da mesma forma, nem todos os bens e serviços adquiridos pelas famílias e pelo governo são produzidos internamente. Os norte-americanos importam bens e serviços do resto do mundo.

Pagamentos e renda de fatores externos

Não apenas os norte-americanos negociam bens e serviços com o resto do mundo no mercado de produtos, como também negociam os fatores de produção com o resto do mundo. Terra, trabalho, capital e empreendedorismo fluem do resto do mundo em troca dos pagamentos dos fatores externos. Além disso, os fatores de produção fluem para o resto do mundo em troca de renda de fatores externos. Se um cidadão dos Estados Unidos ganha renda no exterior, isso é renda de fator externo. Os pagamentos a estrangeiros pelo uso dos fatores de produção representam um pagamento de fatores externos. Quando fatores domésticos de produção são empregados no exterior, eles ganham renda de fator externo. Os salários pagos aos trabalhadores norte-americanos no exterior por empregadores estrangeiros são um exemplo de renda de fatores externos.

Juros e renda de fatores externos

O uso de capital externo requer que sejam feitos pagamentos de juros ao país de origem. Isso representa um pagamento de fatores externos. Além disso, os dividendos recebidos pelos norte-americanos que detêm ações de empresas estrangeiras são incluídos como renda de fatores externos.

Transferências externas

Uma quantia considerável de dinheiro é transferida para outros países não para o pagamento de bens e serviços, mas para ajudar membros da família. Esse tipo de transferência, denominada remessa, afeta a economia, mas não constitui uma troca direta em um mercado. A Índia é um dos principais exemplos de país dependente de uma grande comunidade de expatriados. Muitos indianos no exterior remetem dinheiro para suas famílias na Índia. De forma semelhante, o México depende fortemente das remessas de emigrantes que trabalham nos Estados Unidos.

A extensão das remessas

As remessas são a segunda maior fonte de renda para o México, depois das exportações de petróleo. Em 2006, o México e a Índia receberam remessas anuais de 25 bilhões de dólares cada, muitas das quais oriundas dos Estados Unidos.

Investimento externo

O objetivo do investimento externo é obter renda de fatores externos na forma de juros e lucros. Uma decisão de empreendedores norte-americanos de comprar terras e construir um parque temático na Islândia, embora não seja uma grande ideia, criaria uma entrada de dólares nesse país com o objetivo de gerar uma saída de coroas islandesas para os Estados Unidos como renda de fatores externos.

O investimento externo também pode ser utilizado para financiar um déficit comercial, como é o caso dos Estados Unidos. Atualmente, esse país consegue desfrutar de importações chinesas baratas superiores às suas próprias exportações para a China por causa do contrapeso de um fluxo de poupança vindo da China para os Estados Unidos. Para cada dólar gasto em importações chinesas há um fluxo de retorno, pois os chineses usam esses mesmos dólares para comprar não só as exportações norte-americanas como também ativos financeiros do país.

O SETOR FINANCEIRO E OS MERCADOS FINANCEIROS
Não coloque todos os ovos na mesma cesta

Até agora em nossa discussão sobre a teoria do fluxo circular, os intermediários financeiros foram deixados de fora do quadro, literalmente. O setor financeiro, ou os intermediários como bancos, cooperativas de crédito, companhias de seguro e bolsas de valores, ajuda a facilitar todas as transações mencionadas nesta discussão. A importância dos intermediários financeiros não pode ser subestimada. Eles estão no meio de quase todas as transações. Sem eles, a maioria dos mercados modernos não poderia funcionar. Eles são a graxa que faz as rodas girarem suavemente, a chave que destranca a porta, o vento sob suas asas.

INTERMEDIÁRIOS FINANCEIROS

A maioria das transações realizadas no mercado de produtos envolve o uso de cheques, cartões de débito, cartões de crédito, dinheiro sacado em caixas eletrônicos (em vez de ficar embaixo do seu colchão) ou, no caso de exportações e importações, câmbio. Todos esses serviços são fornecidos pelos intermediários financeiros, mas, naturalmente, não pela bondade de coração. Como em qualquer negócio, eles são motivados pelo potencial de lucro, de modo que cobram uma comissão por seus serviços.

Intermediários financeiros e o mercado de produtos
O setor financeiro tem como objetivo tornar mais fácil para as pessoas gastar dinheiro. Se você tem um aplicativo que lhe permite aproximar seu celular de uma caixa registradora com o objetivo de pagar por uma xícara de café, sabe exatamente do que estou falando. O setor financeiro está por toda a parte:

- Se você quer comprar ou vender uma ação, o setor financeiro está envolvido.

- Se você planeja viajar para Paris e quer trocar alguns dólares por euros antes de partir, o setor financeiro está envolvido.
- Se você gostaria de abrir uma creche para cães e necessita financiamento para novos negócios, o setor financeiro está envolvido.
- Se você quiser pagar sua conta de energia elétrica no caixa eletrônico, celular ou computador, você já pode fazer isso. O setor financeiro está envolvido.

Intermediários financeiros e o mercado de fatores

É bastante óbvio como os intermediários financeiros, como os bancos, estão envolvidos nos mercados de produtos – apenas uma pequena observação de seus próprios hábitos já demonstra isso. É um pouco difícil pagar à Amazon.com aquela nota de 20 reais em sua carteira, mas é muito fácil dar-lhes o número do seu cartão de crédito. Os intermediários financeiros estão igualmente envolvidos no mercado de fatores. Não porque eles usam terras e mão de obra (embora usem), mas porque estão envolvidos em muitas, se não na maioria, das transações no mercado de fatores. A maior parte dos trabalhadores norte-americanos recebe um cheque-salário, não dinheiro. O cheque-salário é depositado em um banco, ou em uma cooperativa de crédito, não embaixo do colchão. A compra e a venda de terras (um fator) quase sempre envolvem intermediários financeiros. O próprio capital é um fator de produção. Onde as pessoas conseguem capital? Isso mesmo, no setor financeiro.

O setor financeiro e poupança

O setor financeiro gera uma quantia significativa de receitas na forma de pagamentos de juros para hipotecas e empréstimos. Esse fato está ligado a uma dimensão da teoria do fluxo circular que não discutimos ainda – a parte da economia que envolve poupança, não gastos.

OS MERCADOS FINANCEIROS

Até este ponto, todos os rendimentos obtidos por famílias, empresas, governo e pelo resto do mundo foram gastos no modelo do fluxo circular. O dólar que entra = dólar que sai. No entanto, os setores privado, público e externo não somente gastam dinheiro – eles também poupam. Para levar em conta que os diferentes setores econômicos poupam uma parcela de sua renda, o modelo de fluxo circular entra na terceira dimensão.

Essa terceira dimensão é representada pelos mercados financeiros. As famílias poupam para o futuro, o governo pode gerar um superávit orçamentário, as empresas retêm ganhos para investimentos futuros e o setor externo se envolve em investimentos reais e em carteira nos Estados Unidos. Aonde vão todas essas economias? A poupança flui para os intermediários financeiros e destes (na forma de empréstimos) para todos os setores da economia.

- Quando poupam, as famílias podem comprar ações, títulos ou certificados de depósito.
- O governo financia seus gastos em excesso de impostos, emitindo os vários títulos do Tesouro.

O PRODUTO INTERNO BRUTO
Mantendo a pontuação

Manter a pontuação é importante. Se você está tentando perder alguns quilos extras, subir na balança de tempos em tempos permite avaliar seu desempenho. Na escola, os professores atribuem notas para avaliar o grau de compreensão dos alunos. No beisebol, estatísticas sobre quase todos os aspectos do jogo são utilizadas para determinar os lançadores e a ordem dos rebatedores. Dados e estatísticas são úteis para tomar decisões abalizadas. Durante a Segunda Guerra Mundial, o governo dos Estados Unidos quis entender melhor a capacidade da economia para gerar os materiais necessários para o esforço de guerra. Isso levou ao desenvolvimento do produto interno bruto (PIB) como um meio de medir a produção econômica. O PIB é importante hoje como um indicador geral do desempenho econômico.

RIQUEZA E RENDA

O produto interno bruto (PIB) mede o valor total de toda a produção final que ocorre em um país durante o período de um ano. O PIB também é uma medida dos gastos anuais com a nova produção interna e uma medida do rendimento obtido com a produção interna. Para entender melhor o PIB, considere o exemplo a seguir. Suponha uma economia simples composta por Frank e Louise. Ultimamente, Frank tem reclamado sobre o tempo frio, de modo que oferece à Louise 1 real para tricotar um cobertor. Louise agarra a oportunidade para ganhar 1 real e começa a tricotar um cobertor novo. Quando termina, Louise troca o cobertor por 1 real. Nesse exemplo simples, qual era o valor de gastos, renda e produção da economia? A resposta é 1 real. O 1 real gasto por Frank foi recebido por Louise em troca do cobertor tricotado. Em 2015, o PIB dos Estados Unidos foi de 18,12 trilhões de dólares, porque algo consideravelmente maior do que um cobertor tricotado foi produzido.

PIB *versus* PNB

O PIB não é a única medida do desempenho econômico que tem sido empregada. Você pode se lembrar do PNB, ou produto nacional bruto. A principal diferença entre PIB e PNB é uma única preposição. O PIB é a medida de toda a produção nova feita *em* um país durante o ano, enquanto o PNB é a medida de toda a produção nova feita *por* um país durante o ano. Os carros da Toyota fabricados no Texas fazem parte do PIB dos Estados Unidos, mas não do PNB.

O PIB não é estático. Na verdade, o PIB é um fluxo. Imagine uma banheira com a torneira e o ralo abertos. A água que flui pela torneira é o PIB, a água que acumula na banheira é a riqueza da nação e a água que escoa pelo ralo representa uma saída, como a depreciação. Desde que o PIB supere o escoamento de riqueza, a riqueza da nação cresce. Essencialmente, o PIB mede aquela produção que é nova, não uma medida da riqueza acumulada.

REVISÃO DO FLUXO CIRCULAR

No modelo de fluxo circular, a economia tem três setores principais: privado, público e externo. O setor privado é subdividido ainda em famílias e empresas. Cada setor contribui para o produto interno bruto. As famílias fornecem os fatores de produção que as empresas utilizam para produzir bens e serviços. Por outro lado, o governo fornece os bens públicos não fornecidos pelo setor privado. Além disso, o setor externo atua como uma fonte de fatores de produção, bem como uma fonte de bens e serviços. O setor externo também funciona como um mercado para a produção doméstica.

O PIB é representado de três maneiras no modelo de fluxo circular. Os bens e serviços que as empresas e o governo fornecem representam o valor de toda a produção doméstica. Os gastos que os setores privado, público e externo acrescentam ao fluxo circular representam os gastos totais. Finalmente, aluguel, salários, juros e lucros obtidos no mercado de fatores são a renda de uma nação.

CONTABILIZA OU NÃO?

O PIB inclui muitas atividades econômicas, mas não todas elas. Como uma medida da produção, o PIB não inclui transações puramente financeiras. Quando você compra ações na bolsa de valores, somente a comissão do corretor é considerada no PIB. Isso ocorre porque a compra de ações representa uma transferência de propriedade de um acionista para outro, e nenhum bem ou serviço é produzido. Da mesma forma, os pagamentos de transferências, como a Previdência Social, não são computados no PIB. Os pagamentos da Previdência Social não são feitos em troca da produção de um novo bem ou serviço, representando a transferência de um assalariado tributado para um beneficiário.

A produção para a qual não ocorre nenhuma transação financeira também é excluída do PIB. Uma mãe ou um pai que fica em casa e cuida dos filhos, limpa a casa, cozinha e faz compras e certamente produz algo de grande valor, mas, como nenhum pagamento monetário é feito, esse valor é indeterminado e excluído. Curiosamente, pagar alguém para fazer todas essas atividades seria incluído no PIB. Construir um terraço em sua casa, cortar a grama, trocar o óleo do carro são serviços que podem ser comprados, mas, quando você os executa por conta própria, não são incluídos no PIB.

O aluguel de apartamentos e casas está incluído no consumo e, portanto, no PIB. Os proprietários e os que pagam hipoteca não pagam aluguel, então o Escritório de Análises Econômicas (BEA) atribui um aluguel nesses casos de moradia. Seja você um proprietário ou um locatário, quando se trata de PIB, todos são locatários.

Para evitar superestimar o PIB, a revenda e a produção intermediária são excluídas. A maioria das compras de imóveis não é contabilizada no PIB. A revenda de imóveis não representa produção nova e é excluída. A única vez que se inclui a compra de imóvel é quando o imóvel é recém-construído. O principal motivo para a revenda não ser contabilizada é evitar a dupla contagem. Os imóveis mais antigos foram incluídos no PIB de algum ano anterior. Considere a venda de farinha, manteiga e açúcar para uma padaria que produz pão fresco. Se a compra de ingredientes fosse incluída no PIB junto com a venda de pão fresco, o PIB seria superestimado. Para evitar isso, o PIB inclui apenas a produção final do pão. O preço do pão inclui o custo anterior incorrido na aquisição de ingredientes.

PIB: GASTOS E INVESTIMENTOS PRIVADOS

Porque você vale muito

O PIB pode ser calculado se forem acrescentados todos os gastos com a nova produção doméstica. Famílias, empresas, governos e outras nações gastam dinheiro na economia, e cada um desses itens é representado no PIB por uma variável diferente de despesa. Cada tipo de despesa está sujeito a várias influências e cada um pode revelar informações importantes sobre a atividade econômica.

DESPESAS DE CONSUMO PESSOAL

As famílias realizam despesas de consumo pessoal. A despesa de consumo pessoal, ou simplesmente consumo, é o ato de comprar bens e serviços. Mais do que dois terços de todos os gastos no PIB dos Estados Unidos inserem-se na rubrica de consumo. Em outras palavras, os norte-americanos compram a quantia de 9 trilhões de dólares ou mais por ano de uma nova produção interna.

A capacidade das famílias de consumir é limitada principalmente pela renda disponível, que é o rendimento depois de pagar os impostos. Esse fato dá ao governo uma alavancagem considerável sobre a capacidade de consumo das famílias. Quando se trata do rendimento disponível, os consumidores optam por gastá-lo no mercado de produtos ou poupá-lo nos mercados financeiros. Isso significa que o aumento do consumo resulta em menos poupança e que o aumento da poupança leva a uma diminuição do consumo.

Variáveis da renda disponível

O consumo também é sensível a alterações na riqueza dos consumidores, nas taxas de juros e nas expectativas do futuro. O aumento da riqueza dos consumidores tende a incentivar o consumo, enquanto as diminuições tendem a desestimulá-lo. A recente implosão dos preços dos imóveis teve um efeito negativo na riqueza dos consumidores. Consequentemente, o consumo diminuiu e a poupança aumentou, pois os consumidores estão tentando reconstruir seu patrimônio líquido. Além dos imóveis, grande parte da riqueza dos consumidores está na forma de contas de aposentadoria. Portanto, mudanças nos principais indicadores do mercado de ações, como o Índice Industrial Dow Jones e o S&P 500, muitas vezes indicam a direção da riqueza das famílias e, portanto, do consumo.

Bens duráveis como carros, eletrodomésticos e móveis são geralmente adquiridos com dinheiro emprestado. As taxas de juros são, portanto, parte da equação para consumir bens duráveis. As altas taxas de juros desestimulam o consumo de bens duráveis, e taxas de juros menores tendem a incentivar a compra de bens duráveis. Os planos destinados a incentivar o consumo de bens duráveis incluem financiamento a 0%, financiamento sem juros por três anos e financiamento sem pagamentos até o ano seguinte.

As expectativas como determinantes do consumo são facilmente entendidas. Quando temem o futuro, as pessoas tendem a economizar e não fazer quaisquer compras importantes. Por outro lado, os otimistas com o futuro ficam mais inclinados a comprar e menos inclinados a poupar.

Consumo autônomo

Os economistas reconhecem que algum consumo é independente da renda disponível e se referem a isso como consumo autônomo. Durante os períodos de recessão, o consumo de bens duráveis é reduzido, enquanto o consumo de itens essenciais como alimentos, aluguel, vestuários e cuidados de saúde permanece relativamente inalterado. Você se lembra de como foi no dia 12 de setembro de 2001? Que tipo de consumo ocorreu e que tipo não ocorreu? Provavelmente o consumo autônomo de necessidades básicas e de não duráveis continuou inabalável, mas o consumo de bens duráveis (exceto armas e munição) e os gastos discricionários foram interrompidos.

INVESTIMENTO PRIVADO BRUTO

As famílias e empresas realizam outros gastos, chamados de investimento privado bruto.

- O investimento privado bruto inclui a aquisição de capital e estoques por parte das empresas, e compras de imóveis novos por

parte das famílias. O investimento privado bruto é ainda subdividido em investimento líquido e depreciação.
- O investimento líquido é a aquisição de capital novo que expande a capacidade produtiva da economia.
- A depreciação é a despesa de investimento para substituir o capital desgastado.

É importante notar o que não é investimento. Quando se trata de calcular o PIB, o investimento não é a compra de ações e títulos. Isso é investimento financeiro ou poupança. O que é considerado aqui é o investimento real. No entanto, esse investimento real na economia é financiado pelo investimento financeiro que ocorre nos mercados financeiros.

Expectativa futura

O grau de investimento na economia é influenciado pelas expectativas quanto às futuras condições de negócios e taxas de juros. As expectativas positivas tendem a impulsionar o investimento, enquanto as negativas resultam em menos investimento. As empresas respondem dessa maneira para ter a quantidade certa de capacidade produtiva para atender à demanda futura esperada por seus produtos. As taxas de juros também são importantes na decisão de investir. À medida que as taxas de juros aumentam, a rentabilidade relativa do investimento diminui. As decisões de investimento comparam a taxa de retorno esperada com a taxa de juros atual. Desde que a taxa de retorno esperada seja superior à taxa de juros, as empresas realizam investimentos, com a expectativa de auferir lucros. O aumento das taxas de juros tem o efeito de fazer com que menos investimentos sejam rentáveis.

Investimento planejado e não planejado

O investimento é subdividido em planejado e não planejado. Em períodos de "normalidade" econômica, as empresas investem em capital e em estoques para vender com lucros. Esse investimento planejado pressupõe que as condições do negócio continuarão de acordo com as expectativas dos produtores. Já no investimento não planejado, coisas ruins podem acontecer. Concessionárias de veículos, por exemplo, fazem pedidos às fábricas para vender aos consumidores. Se os consumidores, no entanto, não compram, o estoque se acumula, os pedidos são interrompidos e a fábrica paralisa a produção. A paralisação generalizada provoca o desemprego em massa e a recessão econômica.

PIB: GASTOS DO GOVERNO E EXPORTAÇÕES
Gaste se você tiver dinheiro

O PIB não é medido apenas pela adição de gastos e investimentos privados das famílias e empresas no mercado interno. Ele também é afetado pelos gastos do governo e pelo comércio internacional.

GASTOS DO GOVERNO

Os gastos do governo incluem gastos federais, estaduais e municipais em capital, infraestrutura e remuneração de funcionários. Gastos militares, construção de estradas e salários dos professores estão incluídos. O gasto do governo é financiado pela tributação e pelo endividamento. O custo de oportunidade dos gastos governamentais é o consumo que deixou de ocorrer e o investimento privado bruto que, de outra forma, poderia ter ocorrido (você poderia ter gastado esses mil reais em um belo celular novo, mas, em vez disso, teve de pagar em impostos para o governo). Os pagamentos de transferências (como os benefícios da Previdência Social e certos subsídios às empresas) não são incluídos como gastos governamentais para fins de cálculo do PIB.

Os gastos governamentais representam cerca de 40% do PIB nos Estados Unidos. Os gastos do governo como porcentagem do PIB variam amplamente em todo o mundo, desde um mínimo de aproximadamente 16% em países como Bangladesh e República Centro-Africana até cerca de 65% em países como Cuba e Lesoto. Na maioria dos países desenvolvidos, os gastos governamentais como porcentagem do PIB ficam entre 35% e 50%.

Limites nos gastos governamentais

Os gastos governamentais são limitados pelas receitas tributárias e pela capacidade de contrair empréstimos. Para um país como os Estados Unidos, isso não é tanto um fator limitante, já que os impostos são obrigatórios e a dívida pública do país é um veículo popular para o investimento financeiro. Independentemente do partido político no poder, os gastos do governo costumam ter uma trajetória ascendente.

Política nas bases

No Brasil e nos Estados Unidos, por exemplo, toda a política é local. Isso significa que deputados e senadores têm um forte incentivo para direcionar os gastos federais para seus respectivos distritos e estados, a fim de ganhar apoio para a reeleição. O fracasso dos políticos em trazer investimentos para casa é geralmente motivo para que um novo político substitua o atual.

Os gastos do governo são muitas vezes utilizados para estimular o consumo durante recessões, pois ele geralmente tem a capacidade e vontade de gastar quando outros setores da economia não o fazem. A eficácia desse gasto – que muitas vezes resulta em um déficit, pois o governo está gastando mais do que gera em impostos – é objeto de acalorados debates entre as diferentes escolas de pensamento econômico. Os economistas influenciados pelo trabalho de John Maynard Keynes tendem a apoiar os gastos governamentais como um estímulo para a economia. A ideia é que os gastos públicos têm um efeito multiplicador: um real gasto pelo governo ajuda a aumentar o PIB em mais de um real. Os economistas com um viés clássico ou libertário frequentemente argumentam que os gastos governamentais deslocam gastos privados mais eficientes (por exemplo, o governo deveria deixá-lo comprar o seu celular em paz, em vez de tirar o dinheiro de suas mãos através de impostos) e não deveriam ser utilizados como uma ferramenta de estímulo.

EXPORTAÇÕES LÍQUIDAS

As exportações líquidas, ou exportações menos importações, são a última variável de gastos na mensuração do PIB. A exportação de nova produção doméstica aumenta o PIB. As importações, por outro lado, subtraem do PIB. Os Estados Unidos geralmente obtêm um déficit na balança comercial; assim, na maioria dos anos, as exportações líquidas são deduzidas do PIB, em vez de acrescentadas. Nos últimos anos, o crescimento das exportações tem ajudado a manter o PIB. Em comparação com a maioria das outras nações, as exportações líquidas norte-americanas representam uma porcentagem muito pequena da atividade econômica. Embora nenhum país se envolva tanto em comércio internacional, em volume, como os Estados Unidos, o país ainda é uma das nações menos dependentes de comércio no mundo.

Exportações e crescimento econômico

As exportações líquidas podem não ser algo muito importante nos Estados Unidos, mas para os países em desenvolvimento elas representam o caminho para o crescimento econômico. A China é um exemplo típico de um país dependente das exportações líquidas para o crescimento. À medida que a economia chinesa amadurece, sua indústria pode ficar mais voltada para a produção doméstica.

As exportações líquidas são influenciadas pelas taxas de câmbio e, da mesma forma que o consumo e o investimento, pelas taxas de juros. A valorização do dólar torna os bens norte-americanos relativamente caros, de modo que as exportações diminuem e as importações aumentam. A desvalorização do dólar, por outro lado, torna os bens norte-americanos relativamente baratos, de modo que as exportações aumentam e as importações diminuem. As taxas de juros afetam as exportações líquidas através de seu efeito sobre a taxa de câmbio. Altas taxas de juros nos Estados Unidos levam a uma valorização do dólar, o que reduz as exportações líquidas, mas baixas taxas de juros no país ajudam a desvalorizar o dólar e incentivar as exportações líquidas.

ABORDAGENS DO PIB
Mentiras, mentiras descaradas e estatísticas

Até agora temos considerado o PIB uma soma de gastos: adicione gastos de consumo, investimento privado, gastos governamentais e exportações líquidas e voilà! O PIB. Mas esta não é a única maneira de medir o crescimento da economia. Os economistas podem também utilizar a abordagem da renda (somando toda a renda) ou a abordagem da produção (somando toda a produção). Observe que cada uma dessas abordagens se destina a dar a mesma resposta – o PIB. Elas não são propostas para calcular coisas diferentes. Se você medir a economia utilizando cada uma das três abordagens, deve chegar aproximadamente à mesma resposta.

Além disso, para que possam comparar o PIB ano a ano, os economistas também devem tratar das diferenças entre o PIB real e o nominal.

ABORDAGEM DE RENDA PARA O PIB

Se nós podemos analisar os gastos como um sinal do crescimento econômico (ou contração), também podemos considerar a renda para esse mesmo fim. Teoricamente, o PIB deve permanecer igual, seja por meio da abordagem da renda, seja pela abordagem dos gastos (porque a renda equivale aos gastos – a poupança é uma forma de despesa nesse cálculo). A capacidade de realizar consumo, investimento, gastos governamentais e exportações líquidas provém do rendimento auferido, gerando a produção doméstica. Mais uma vez, a renda inclui aluguel, salários, juros e lucros obtidos com a venda dos fatores de produção no mercado de fatores.

Medir a renda é mais complexo do que medir os gastos, e isso requer alguma ginástica mental da parte dos economistas. Um motivo é que os lucros fluem para corporações, acionistas e proprietários. Além disso, os impostos e subsídios distorcem a diferença entre o preço pago no mercado e a renda obtida pelos produtores. No final, medir a renda é um pouco mais complexo para os economistas do que medir os gastos, mas por ora é suficiente concluir que a renda é igual à soma de aluguel, salários, juros e lucros. Deixe os economistas do BEA se preocuparem com os detalhes.

Renda subnotificada

Um último problema prático surge ao medir renda em comparação com os gastos. Os produtores e as famílias têm um incentivo para subnotificar a renda a fim de reduzir a sua obrigação fiscal.

ABORDAGEM DA PRODUÇÃO

Outra forma de calcular o PIB é somar todas as atividades de produção de um país. Nessa abordagem, calcula-se o valor agregado em cada etapa do processo de produção. Por exemplo, um carro é o produto final, mas o insumo intermediário do engenheiro tem um valor que pode ser determinado. Uma desvantagem óbvia dessa abordagem é determinar a diferença entre bens intermediários e finais. Um quilo de açúcar é um bem intermediário ou final? A resposta é: depende de quem está comprando e por quê.

Nessa abordagem, tanto a produção comercial quanto a não comercial devem ser calculadas. A produção comercial é representada pelos bens produzidos para venda no mercado (tais como os eletrônicos produzidos pelas corporações). A produção não comercial inclui serviços que não são para venda no mercado (tais como os fornecidos pelo governo ou por organizações sem fins lucrativos – por exemplo, o programa de almoço gratuito oferecido todo verão pelas escolas municipais nos Estados Unidos). A produção não comercial pode ser difícil de calcular, pois não tem uma etiqueta de preço pendurada nela; assim, de modo geral, considera-se como o custo de produção.

As agências do governo norte-americano não utilizam essa abordagem para calcular o PIB.

PIB NOMINAL *VERSUS* REAL

Os conceitos de nominal e real aparecem em toda a economia, e o PIB não é exceção. O PIB nominal é calculado por meio dos preços correntes. Para que os economistas façam comparações válidas no PIB de ano para ano, as mudanças de preços que ocorrem com a passagem do tempo precisam ser analisadas. O PIB real informa a produção a preços constantes. Se a mudança nos preços (inflação) não for considerada no cálculo do PIB, os resultados podem ser enganosos – pode parecer que a economia está crescendo quando na verdade tudo o que está ocorrendo é a inflação.

O PIB nominal deve ser deflacionado para calcular o PIB real. Suponha uma economia extremamente simples que produza bolas de praia multicoloridas. Em 2014, a economia produziu 100 bolas de praia que foram compradas pelos consumidores a 1 real cada. Em 2015, a economia produziu 100 bolas de praia idênticas que foram compradas pelos consumidores por 1,25 real cada. Considerando essas informações, o PIB nominal para cada ano pode ser calculado multiplicando o número de bolas de praia pelo preço corrente daquele ano; assim, o PIB nominal em 2014 foi de 100 reais e em 2015 foi de 125 reais. Um observador externo poderia chegar à conclusão incorreta de que a produção aumentou em 25%. A realidade foi que a produção não mudou, mas os preços subiram 25%. Para comparar o que *realmente* aconteceu, os preços devem ser mantidos constantes. Utilizando os preços de 2014, o PIB *real* para 2014 e 2015 é de 100 reais; em outras palavras, a produção real permaneceu constante.

O deflator do PIB

Você pode determinar a inflação (ou deflação) geral em uma economia dividindo o PIB nominal de um ano específico pelo seu PIB real. Se o PIB nominal foi de 125 reais e o PIB real foi de 100 reais, então a inflação foi de 25%.

MUDANÇAS NO PIB REAL E CICLO ECONÔMICO
Apertem os cintos de segurança

Ao longo dos últimos cinquenta anos, os Estados Unidos passaram por períodos alternados de recessão e expansão econômica. Os altos e baixos ocorreram em um contexto de crescimento econômico de longo prazo. Em outras palavras, de ano para ano o PIB pode subir e descer em geral, mas a tendência é para cima. Desde 1960, o PIB real norte-americano aumentou em mais de 10 trilhões de dólares.

EXPANSÃO E CONTRAÇÃO

Os economistas referem-se a essa série de expansões e contrações como ciclo econômico ou ciclo de negócios (alguns economistas preferem o termo "flutuação", pois "ciclo" implica um padrão previsível, o que não existe).

À medida que a força de trabalho e a produtividade crescem, o mesmo acontece com a capacidade de produção da economia. Isso explica por que a economia tem crescido ao longo do tempo. Os períodos de expansão e contração são atribuídos às diferenças entre os gastos totais na produção e a capacidade de produção da economia em longo prazo. Durante os períodos de expansão, os gastos aumentam até o ponto em que a economia supera a sua capacidade de produção de longo prazo. As contrações ocorrem quando os gastos totais diminuem e o excesso de capacidade produtiva permanece.

Medições do ciclo econômico

Os ciclos econômicos ou de negócios são medidos olhando para o PIB e para o desemprego. Durante os períodos de expansão econômica, o desemprego reduz e o PIB cresce. O oposto acontece durante os períodos de recessão.

Se você já fez uma longa viagem de carro, então consegue entender o ciclo econômico. Imagine viajar ao longo de uma estrada de duas pistas, acompanhando o tráfego. Seguir o fluxo é a norma e representa a taxa média de crescimento econômico. Ocasionalmente, alguém se move devagar demais, de modo que você verifica se há tráfego no sentido oposto. Se estiver desobstruído, você acelera e ultrapassa o motorista mais lento. Ultrapassar representa os períodos em que os gastos excedem a capacidade produtiva. De vez em quando, você comete um erro ao tentar ultrapassar o motorista mais lento. Você verifica o tráfego da outra pista e se coloca em posição de ultrapassagem, mas logo descobre que um caminhão de 18 toneladas completamente carregado vem acelerado pela pista contrária. Você imediatamente volta para a sua pista, tremendo assustado, e reduz para 50 quilômetros por hora, agradecido por ainda estar vivo. Eventos como esse são representativos das contrações econômicas. No final, você se recompõe e começa a viajar novamente com o fluxo de tráfego.

Agora, para realmente entender o ciclo econômico, imagine que você esteja com os olhos vendados o tempo todo e confiando em um passageiro extremamente míope falando suaíli para fornecer informações sobre o que está acontecendo. Certamente seria um passeio interessante. Por que os olhos vendados e o suaíli? Tirando videntes, profetas, meteorologistas e o raro economista, a maioria dos norte-americanos tem dificuldade em ver o futuro. A linguagem dos economistas e especialistas financeiros é muitas vezes difícil de interpretar.

As quatro fases do ciclo econômico

Os economistas geralmente apontam quatro fases no ciclo econômico:

1. Expansão, que ocorre quando o PIB cresce mês a mês e o desemprego diminui.
2. Pico, que ocorre quando os gastos do PIB real estão em seu máximo – o período imediatamente anterior àquele em que o desemprego começa a aumentar e os outros indicadores econômicos caem.
3. Contração, que ocorre quando o crescimento do PIB desacelera ou diminui. Uma recessão é especificamente definida como dois trimestres consecutivos de queda do PIB real.

4. Depressão, que é o período entre a contração e a expansão, quando o PIB começa a se recuperar.

Como essa descrição deixa claro, os economistas só conseguem determinar em que fase a economia está *depois* que já aconteceu.

TEORIAS DOS CICLOS ECONÔMICOS

Os economistas discordam sobre as razões pelas quais a economia flutua de determinada forma. O culpado são as causas externas, como as guerras? Ou fatores internos, como a inovação empresarial? Eles também discordam a respeito do que deve ser feito durante as crises. Quanto deve o governo se intrometer? Isso depende do economista com quem você está falando.

- Os monetaristas de Milton Friedman explicam o ciclo econômico como causado pela má gestão da oferta monetária. Períodos de excesso de expansão são produzidos por dinheiro demais, e períodos de contração são causados por muito pouco dinheiro em circulação.
- Keynes explicou o ciclo econômico como causado pelo "espírito animal", quando as empresas estão em efeito bipolar. O espírito animal de Keynes representa a emoção que obscurece a tomada de decisão racional. Esse espírito animal é expresso por meio da disposição das empresas em investir. Quando estão frenéticas, as empresas investem pesadamente, apenas para cair em fase de depressão quando não estão dispostas a investir.
- A maioria das outras teorias explica o ciclo econômico como causado, em última análise, pelas alterações de gastos, mas uma delas, denominada Teoria dos Ciclos Reais de Negócios, concentra-se nas mudanças da produtividade como a causa final do ciclo.

O QUE O PIB NÃO NOS CONTA
O dinheiro não é tudo

Em um discurso de 1968, o falecido candidato presidencial Robert F. Kennedy afirmou o seguinte sobre os pontos fracos de nossa principal medida de desempenho econômico naquela época, o produto nacional bruto. As mesmas deficiências se aplicam ao PIB:

> Excessivamente e por muito tempo, parece termos rendido a excelência pessoal e os valores comunitários à mera acumulação de coisas materiais. Nosso produto nacional bruto... se julgamos os Estados Unidos da América por ele... conta a poluição do ar e a propaganda de cigarros, e ambulâncias para limpar nossas rodovias da carnificina. Ele conta as fechaduras especiais para nossas portas e as prisões para as pessoas que as quebram. Ele conta a destruição das sequoias e a perda de nossa maravilha natural em meio à caótica expansão. Ele conta napalm e ele conta ogivas nucleares, e carros blindados para a polícia combater as manifestações em nossas cidades. Ele conta o rifle Whitman e a faca Speck, e os programas de televisão que glorificam a violência a fim de vender brinquedos aos nossos filhos.
> No entanto, o produto nacional bruto não leva em consideração a saúde de nossos filhos, a qualidade de sua educação, ou a alegria de suas brincadeiras. Não inclui a beleza de nossa poesia ou a força de nossos casamentos; a inteligência de nosso debate público ou a integridade de nossos funcionários públicos. Ele não mede nosso espírito, nem nossa coragem; nem a nossa sabedoria, nem o nosso conhecimento; nem a nossa compaixão, nem a nossa devoção ao país; ele mede tudo, em suma, exceto o que faz a vida valer a pena. E ele pode nos dizer tudo sobre os norte-americanos, exceto por que temos orgulho de ser norte-americanos.

PIB REAL E BEM SOCIAL

O argumento de Kennedy deve estar claro. O PIB, apesar de toda a sua abrangência, exclui muitas coisas importantes – entre elas, o valor do trabalho não remunerado, como cuidar dos filhos ou dos pais idosos. No entanto, considere que, com o aumento do PIB real, o peso da escassez e a incidência da pobreza absoluta foram eliminados para milhões de pessoas. A riqueza relativa de ontem é a pobreza relativa de hoje. Se compararmos hoje com a vida dos norte-americanos de gerações anteriores, veremos que aumentou a disponibilidade com cuidados de saúde, educação, nutrição, saneamento e habitação com o aumento do PIB real. Isso tudo conduziu a um aumento na longevidade.

O aumento no PIB real também foi acompanhado por mais tempo de lazer. A semana média de trabalho tem continuamente caído e o número médio de dias de férias tem aumentado. Como medida de bem-estar, o PIB tem pontos fortes e fracos.

PIB *per capita*

O PIB *per capita* é o PIB dividido pela população. Como indicador do bem-estar geral, ele está sujeito a uma grande falha. O PIB per capita não dá nenhuma indicação de como a renda é distribuída entre a população. Os Estados Unidos e a Noruega têm um PIB per capita elevado, mas a principal diferença é que a renda norte-americana está distribuída de forma desigual em comparação com a norueguesa. PIB per capita elevado não significa necessariamente que não existam na sociedade pessoas que vivem na pobreza relativa.

PIB E O MEIO AMBIENTE

Críticos do PIB dizem que ele não leva em conta a degradação ambiental. Como o PIB se concentra nos gastos e na produção, cria um incentivo para buscar maior volume de produção para que o crescimento continue. Esse crescimento pode vir à custa do meio ambiente. Desmatamento, mudanças climáticas, poluição e outros males ambientais são, de acordo com os críticos da medição, o resultado lógico desse foco míope do PIB. Outros defendem o PIB afirmando que é devido ao aumento do PIB real que as pessoas estão ricas o suficiente e têm tempo para cuidar do meio ambiente. Hoje, os países com o PIB real mais elevado são muitas vezes os mesmos que fazem o máximo para resolver os problemas levantados pelos cidadãos ambientalmente conscientes.

Alguns países utilizam medições denominadas "PIB verde", que levam em conta o custo ambiental do crescimento econômico.

OUTRAS MEDIDAS DAS ECONOMIAS

Em resposta às queixas sobre o que o PIB mede, outras fórmulas têm sido exploradas para resolver esses problemas. Algumas delas incluem:

- Índice de Bem-Estar Econômico Sustentável, que também calcula a distribuição de renda e a poluição.
- Indicador de Progresso Genuíno, que procura medir o bem-estar dos cidadãos de um país, incluindo o trabalho não remunerado (trabalho doméstico, puericultura, voluntariado) e outras estatísticas.
- Índice Fordham de Saúde Social, que leva em conta o bem-estar social, como o uso de drogas, homicídios e desigualdade de renda.
- Índice de Desenvolvimento Humano das Nações Unidas, que inclui a expectativa de vida e o acesso à educação.
- Índice do Planeta Feliz, que tenta medir a felicidade pessoal ou o bem-estar, em vez da saúde econômica.

O dinheiro fala mais alto

Desigualdade de renda
A distribuição desigual de dinheiro entre as famílias em um país.

DEFINIÇÃO DE DESEMPREGO
Para onde foi o meu emprego?

Uma das coisas mais gratificantes que você pode ouvir é: "Nós gostamos de você, e você é a pessoa certa para esta empresa. Parabéns, você está contratado!". Uma das piores coisas que você pode ouvir é: "Você está demitido". O desemprego pode fazer com que a economia de repente pareça muito relevante para a sua vida. Os economistas definem, medem, classificam, avaliam e procuram entender esse fenômeno tão comum. Muitos deles fizeram da minimização do problema do desemprego o trabalho de sua vida, e as autoridades estão sob pressão política para fazê-lo também.

O QUE É OU NÃO DESEMPREGO

De acordo com o Census Bureau,[5] a população norte-americana, em 2008, era de aproximadamente 300 milhões, dos quais 145 milhões estavam empregados. Quantos estavam desempregados? Pode parecer uma surpresa para você o fato de ser impossível determinar a resposta a essa pergunta com base nas informações dadas. É verdade que você pode inferir que 155 milhões não trabalhavam, mas isso não significa necessariamente que estavam todos desempregados. Os bebês e as crianças estão desempregados? Para determinar o número de desempregados, você deve primeiro definir o termo desemprego.

Pessoas acima de 16 anos de idade são consideradas desempregadas se ativamente procuraram trabalho nas últimas quatro semanas e não estão empregadas. Os empregados são aqueles que trabalharam pelo menos uma hora nas duas semanas anteriores. As pessoas que não atendem a nenhum dos critérios não são consideradas força de trabalho, que é o número de pessoas empregadas mais o número de pessoas desempregadas. A taxa de desemprego que você ouve citada nas notícias não é uma porcentagem da população, mas a porcentagem da força de trabalho que não está atualmente empregada.

---

5 Órgão responsável pelo Censo nos Estados Unidos, semelhante ao Instituto Brasileiro de Geografia e Estatística (IBGE) no Brasil. (N.T.)

Aumento da taxa de desemprego

Um aumento na taxa de desemprego significa que menos pessoas estão empregadas? Não necessariamente. É possível que a taxa de desemprego aumente ao mesmo tempo que o número de empregados também aumenta. Uma mudança demográfica na força de trabalho, como a entrada de mulheres no mercado durante a Segunda Guerra Mundial ou o regresso de militares à vida civil, pode criar uma condição em que a proporção de desempregados em relação à força de trabalho aumente mesmo quando o emprego geral está aumentando.

Há muitas razões para não participar da força de trabalho. Estudantes em tempo integral, aposentados, pais que ficam em casa, deficientes e pessoas internadas em instituições não participam. Os militares em serviço ativo também não são considerados parte da força de trabalho. Em qualquer ponto no tempo há quem entre, saia e entre novamente na força de trabalho. Além disso, as pessoas são contratadas, demitidas e recebem licença o tempo todo. Elas também pedem demissão, reduzem horas de trabalho e se aposentam. A força de trabalho está em constante fluxo, o que torna a medição do desemprego uma tarefa assustadora.

MEDIÇÃO DO DESEMPREGO

O Escritório de Estatísticas do Trabalho (Bureau of Labor Statistics – BLS) do Departamento do Trabalho dos Estados Unidos monitora o desemprego no país. Uma vez por mês, o Census Bureau realiza a Pesquisa da População Atual. É realizada uma pesquisa com uma amostragem de aproximadamente 60 mil famílias sobre sua participação na força de trabalho. O BLS utiliza esses dados para calcular as várias estatísticas de emprego usadas pelos economistas e autoridades.

Dados de desemprego

A taxa de desemprego no Brasil é medida pelo Instituto Brasileiro de Geografia e Estatística (IBGE). Esse orgão realiza uma pesquisa com base na População Economicamente Ativa (PEA).

Você pode encontrar os últimos dados e pesquisas no site www.ibge.gov.br. Já os dados sobre os Estados Unidos, podem ser encontrados no site www.bls.gov.

Além da pesquisa populacional, os economistas analisam os registros de folha de pagamento dos empregados, novas solicitações de seguro-desemprego e outros dados para obter uma imagem completa do desemprego do país. Os registros da folha de pagamento de empregos não agrícolas proporcionam aos economistas uma boa ideia de quantas contratações têm ocorrido na economia. As novas solicitações de seguro-desemprego servem como uma verificação dos resultados da Pesquisa da População Atual. As autoridades também analisam as horas semanais trabalhadas na indústria. O recuo nas horas semanais trabalhadas indica que as fábricas estão em marcha lenta e podem começar a demitir trabalhadores. Os aumentos nas horas semanais trabalhadas podem indicar que as empresas contratarão no futuro.

Além de calcular o desemprego, o BLS utiliza os dados da pesquisa para calcular a taxa de participação da força de trabalho e a relação emprego-população. A taxa de participação da força de trabalho é a porcentagem da população em idade ativa classificada como empregada ou desempregada. Nos Estados Unidos, a taxa média de participação da força de trabalho é de aproximadamente 65%. A relação emprego-população é a porcentagem da população em idade ativa classificada como empregada. Ambos os índices diminuíram ao longo dos últimos dez anos, uma vez que inúmeros jovens têm retardado sua entrada na força de trabalho. Isso pode ser em razão do aumento das matrículas na faculdade ou universidade e no alistamento militar.

CLASSIFICAÇÕES DE DESEMPREGO

Passando despercebido

Por causa da definição estreita de desemprego, muitas pessoas que você poderia considerar desempregadas ou subempregadas não são capturadas pela estatística oficial de desemprego.

- Trabalhadores marginalmente ativos não são considerados na taxa oficial de desemprego. São as pessoas dispostas e disponíveis para trabalhar que têm procurado emprego nos últimos doze meses, mas que não procuraram nas últimas quatro semanas.
- Algumas pessoas frustradas desistiram de procurar emprego. Esses "trabalhadores desanimados" são desempregados no sentido geral, mas, como não atendem à definição técnica, a taxa de desemprego oficial não os considera.
- Além disso, muitos trabalhadores em tempo integral que perderam o emprego têm sido recontratados como trabalhadores em tempo parcial. O engenheiro automotivo em Detroit que agora trabalha na fila de *drive-through* de um *fast-food* é um exemplo disso.

O BLS publica diversas taxas de desemprego além da taxa de desemprego oficial:

- U1 só inclui pessoas desempregadas por quinze semanas ou mais.
- U2 só inclui pessoas que perderam o emprego e não aquelas que pediram demissão ou que entraram ou reentraram na força de trabalho.
- U3 é a taxa de desemprego oficial.
- U4 acrescenta os trabalhadores desanimados à taxa de desemprego oficial.
- U5 inclui todos os trabalhadores marginalmente ativos.
- Finalmente, U6 é a medida mais abrangente do desemprego e inclui todos os anteriores, mais aqueles que estão empregados em tempo parcial em função da situação econômica.

TIPOS DE DESEMPREGO

Os economistas fazem distinções qualitativas nas razões para várias classificações de desemprego. Nem todo desemprego é igual. Alguns tipos são realmente positivos para o indivíduo e a economia. Outros são ruins para o indivíduo, mas beneficiam a sociedade. Por último, há um tipo de desemprego que é ao mesmo tempo ruim para o indivíduo e oneroso para a sociedade. Os três tipos de desemprego são: friccional, estrutural e cíclico.

Desemprego friccional

Um desemprego de 0% é uma boa meta para a sociedade? Definitivamente, não é. Um objetivo de 0% de desemprego ignora a presença do desemprego friccional. O desemprego friccional ocorre quando as pessoas entram voluntariamente na força de trabalho, ou quando estão entre empregos para os quais são qualificadas. É friccional porque o mercado de trabalho não faz uma correspondência automática entre todos os empregos disponíveis e todos os trabalhadores disponíveis.

Na verdade, uma procura de emprego requer tempo para que o trabalhador certo encontre o emprego certo. Tanto os trabalhadores quanto a sociedade se beneficiam quando os candidatos a emprego encontram o trabalho adequado. Os engenheiros mecânicos têm de obter empregos em engenharia mecânica e não em *pet shop*.

A taxa de desemprego friccional é relativamente baixa e, à medida que a tecnologia aumenta e o tempo de busca diminui, ela se torna ainda menor. O advento dos sites de busca on-line de empregos e as redes sociais têm reduzido o tempo de busca de emprego para muitos trabalhadores.

Incentivos do governo e desemprego friccional

Incentivos governamentais criam variações nas taxas de desemprego friccional entre países. Benefícios generosos de desemprego dão aos trabalhadores um incentivo para passar mais tempo à procura de um emprego e, assim, aumentam a taxa de desemprego friccional para o país. Comparado com a Europa, os benefícios de desemprego norte-americanos são menos generosos. Consequentemente, os norte-americanos passam menos tempo à procura de empregos e a taxa de desemprego friccional é relativamente menor.

Desemprego estrutural

O desemprego estrutural ocorre quando os conjuntos de habilidades dos candidatos a emprego não são mais procurados por causa da geografia ou obsolescência. À medida que as indústrias morrem em determinadas regiões do país ou se deslocam para outras regiões, os trabalhadores podem não conseguir se mudar junto com a empresa. Isso deixa os trabalhadores com um conjunto de habilidades que não é mais requerida. Esses trabalhadores devem se requalificar ou aceitar um emprego com salários mais baixos em um setor que requer menor qualificação. O desemprego estrutural é muitas vezes o resultado do que o economista Joseph Schumpeter chamou de destruição criativa. À medida que ocorre inovação, as antigas tecnologias e indústrias são destruídas, o que libera recursos para a nova tecnologia e sua indústria.

A invenção do computador pessoal foi a sentença de morte para a máquina de escrever. À medida que a nova tecnologia avançava, a velha tecnologia e sua indústria eram destruídas. Com o tempo, técnicos qualificados de conserto de máquinas de escrever descobriram que seu conjunto de habilidades não era mais necessário e enfrentaram a destruição permanente de seus empregos. Enquanto isso ocorria, novos empregos eram criados na nova indústria. O problema para os trabalhadores é que seus conjuntos de habilidades podem não ser úteis na nova indústria. A solução para o desemprego estrutural é educação e reciclagem.

Classificações de desemprego

É possível que uma pessoa fique friccional e estruturalmente desempregada? A classificação do desemprego não é uma ciência exata. Uma pessoa que deixa voluntariamente um emprego para procurar outro para o qual não está qualificada seria um desempregado friccional e estrutural. Coloque isso em uma recessão e essa pessoa seria um desempregado friccional, estrutural e cíclico.

Outra razão para a ocorrência de desemprego estrutural é a presença de salários de eficiência no mercado de trabalho. Salários de eficiência são aqueles que excedem o salário de equilíbrio de mercado. A finalidade dos salários de eficiência é incentivar a produtividade do trabalhador. Os empregados que recebem salários de eficiência sabem que não conseguem ganhar valores equivalentes em empresas concorrentes, de modo que são motivados a produzir mais para a empresa que paga. Os salários de eficiência têm o efeito adicional de atrair mais pessoas para entrar no mercado de trabalho. Como são atraídos pelo salário de eficiência e não estão dispostos a trabalhar pelo salário mais baixo do mercado, esses recém-chegados representam um aumento no nível do desemprego estrutural. À medida que mais participantes são atraídos para o mercado, os trabalhadores menos qualificados enfrentam mais concorrência pelos empregos e passam por maiores taxas de desemprego.

Desemprego cíclico

O tipo mais insidioso de desemprego é o cíclico. O desemprego cíclico ocorre por causa das contrações no ciclo econômico. Não é voluntário nem resulta de uma incompatibilidade de habilidades. Durante os períodos de recessão, a taxa de desemprego oficial aumenta à medida que o desemprego cíclico se soma às sempre presentes taxas de desemprego friccional e estrutural. A recessão que começou em 2007 viu a taxa de desemprego oficial aumentar de 5% para 10%. O aumento adicional é diretamente atribuído ao desemprego cíclico.

O problema real com o desemprego cíclico é que ele cria um ciclo de *feedback*. À medida que um grupo entra em desemprego cíclico, ele corta seus gastos, o que leva a mais desemprego cíclico. Esse ciclo de *feedback* resultou em desemprego de 25% durante a Grande Depressão nos Estados Unidos. As autoridades respondem ao desemprego cíclico com uma política fiscal e monetária discricionária. Além disso, os estabilizadores automáticos, como o seguro-desemprego, ajudam a atenuar o ciclo de *feedback* ao permitir que os trabalhadores afetados tenham alguma capacidade para gastar. Em última análise, o objetivo das autoridades é eliminar completamente o desemprego cíclico.

PLENO EMPREGO

Quando uma economia produz em sua capacidade máxima, avançando pela estrada no limite de velocidade, sem acelerar nem dirigir muito devagar, é seguro assumir que essa economia também esteja em pleno emprego. O pleno emprego ocorre quando o desemprego cíclico não está presente na economia. Esse nirvana econômico é o objetivo que as autoridades buscam manter.

Os economistas associam o pleno emprego à taxa natural de desemprego. A hipótese da taxa natural apresentada pelos economistas ganhadores do Nobel, Milton Friedman e Edmund Phelps, sugere que em longo prazo existe um grau de desemprego que a economia mantém, independentemente da taxa de inflação. A ideia é que, deixada sozinha, a economia manterá o pleno emprego e terá a taxa natural de desemprego na maior parte do tempo.

É possível que a taxa natural de desemprego varie. Se as taxas friccional e estrutural de desemprego mudarem, então a taxa natural de desemprego também muda. Uma tecnologia que reduza continuamente o tempo de procura para os candidatos a emprego teria o efeito de reduzir tanto o desemprego friccional quanto a taxa natural de desemprego. Mudanças permanentes no seguro-desemprego que incentivem ou desestimulem longos períodos de falta de emprego também afetam a taxa natural. Finalmente, aumentos duradouros na produtividade dos trabalhadores reduziriam a taxa natural de desemprego.

Diferentes países têm diferentes taxas naturais de desemprego. As economias mais orientadas para o mercado, como os Estados Unidos, têm baixas taxas naturais de desemprego. As economias socialistas costumam ter taxas naturais de desemprego mais elevadas. Os economistas teorizam que as economias socialistas têm taxas friccional e estrutural mais elevadas por causa das políticas governamentais que levam a mercados de trabalho menos flexíveis. As taxas naturais de desemprego mais altas ocorrem em países onde a mão de obra é imóvel e não qualificada, e a criação de emprego é bloqueada por governos corruptos e ineficientes.

POR QUE O DESEMPREGO É RUIM

Estar à altura do seu potencial

O desemprego gera um custo mensurável para a economia e os indivíduos. O custo de oportunidade do desemprego é imenso se for considerada a escala da economia norte-americana.

Quando estão desempregados, os trabalhadores não conseguem produzir. De acordo com o economista Arthur Okun, para cada 1% em que a taxa de desemprego oficial excede a taxa natural, há uma diferença de 2% entre o PIB real efetivo e o potencial. Levando em conta os números do PIB e do desemprego de 2009 nos Estados Unidos, quando a produção real foi de 14 trilhões de dólares e o desemprego foi de 10%, e assumindo uma taxa natural de 5%, a produção real pode ter sido de 1 trilhão de dólares a 2 trilhões de dólares abaixo do potencial. A título de comparação, uma diferença de produção de 2 trilhões de dólares é como sacrificar toda a produção econômica da França.

CUSTOS PESSOAIS E SOCIAIS DO DESEMPREGO

Os custos para o indivíduo também são pesados. Um período prolongado de desemprego pode acabar com as economias pessoais de uma família e deixá-la endividada. O desemprego perturba o fluxo normal da vida e, se prolongado, pode eventualmente causar problemas psicológicos e de saúde para quem é afetado. Igualmente, a incidência de violência familiar está diretamente relacionada às mudanças na taxa de desemprego. Além disso, os períodos de desemprego elevado também estão associados a aumentos na taxa de divórcio e abandono de crianças.

O desemprego prolongado e generalizado está diretamente ligado ao crime e à agitação civil. As áreas atormentadas por um desemprego elevado e persistente são igualmente flageladas por crimes violentos e contra a propriedade. Uma viagem a cidades do interior dos Estados Unidos é uma evidência concreta desse cenário. Grande parte da inquietação no mundo em desenvolvimento coincide com altas taxas de desemprego. É muito raro que alguém tire a manhã de trabalho para fazer manifestação ou explodir algo. O desemprego, ao que parece, cria as condições necessárias para muitos dos problemas no mundo.

A taxa de desemprego

As altas taxas de desemprego também afetam os negócios, pois o seguro-desemprego é, em grande parte, proporcionado por impostos sobre as empresas. Além disso, para tentar aumentar a receita durante os períodos de grande desemprego, governos municipais e estaduais muitas vezes elevam as taxas de impostos sobre as empresas, reduzindo sua capacidade de contratar trabalhadores.

TENDÊNCIAS DO DESEMPREGO

A economia norte-americana passou por várias mudanças importantes. Inicialmente, o país era uma nação agrária e a maioria dos empregos estava relacionada com a agricultura. A Revolução Industrial assistiu a uma mudança na direção do emprego industrial. Hoje, grande parte dos empregos é criada no terceiro setor. À medida que os Estados Unidos se afastam da agricultura e da indústria, há cada vez menos cargos nessas áreas. A globalização deslocou muitos empregos de baixa qualificação para o exterior, o que deixa os trabalhadores não qualificados nos Estados Unidos com menos oportunidades.

A demanda por mão de obra é impulsionada pela produtividade dos trabalhadores. Quanto mais habilidades os trabalhadores possuem, maior a demanda por seu trabalho. Para manter a competitividade, os futuros trabalhadores devem perceber que não estão competindo apenas contra seus colegas norte-americanos, mas contra o resto do mundo. Os dias em que você podia se formar no ensino médio e conseguir um emprego bem remunerado na fábrica se foram, a menos, é claro, que more na China. Para competir no mercado de emprego global, os norte-americanos devem estar dispostos a se capacitar, manter a mobilidade e se ajustar constantemente às mudanças das necessidades de seus empregadores.

DISPARIDADES DEMOGRÁFICAS DO DESEMPREGO

Quando se trata da demografia do desemprego, os fatos mostram diferenças significativas entre subpopulações.

- Os homens têm taxas de desemprego mais elevadas do que as mulheres.
- Os brancos têm taxas de desemprego mais baixas do que os hispânicos.
- Os hispânicos têm taxas de desemprego mais baixas do que os negros.
- Os trabalhadores mais jovens têm maior probabilidade de estarem desempregados do que os trabalhadores mais velhos.
- Os trabalhadores com maior grau de escolaridade têm muito menos probabilidade de estarem desempregados do que os trabalhadores que não concluíram o ensino médio ou superior.

Para demonstrar a variação no desemprego, considere a diferença nas taxas de desemprego de 2008 entre mulheres brancas casadas com mais de 25 anos de idade e homens negros solteiros com menos de 25 anos de idade. A taxa para o primeiro grupo era de 3,3%, enquanto a taxa para o segundo grupo era de 17,5%. O determinante demográfico mais importante do desemprego, porém, é o grau de escolaridade. Mesmo durante as recessões, as taxas de desemprego dos diplomados em faculdades permaneceram abaixo de 6%.

A vantagem da educação

Uma consulta ao relatório do Escritório de Estatísticas do Trabalho de maio de 2015 mostra as taxas de desemprego para os seguintes grupos:

- Menos que um diploma no ensino médio: 8,6% (em maio de 2014 foi de 9,2%).
- Graduado no ensino médio, sem faculdade: 5,8% (em maio de 2014 foi de 6,5%).
- Um diploma de faculdade ou nível técnico: 4,4% (em maio de 2014 foi de 5,5%).
- Diploma universitário ou superior: 2,7% (em maio de 2014 foi de 3,2%).

DEFINIÇÃO DE INFLAÇÃO
O incrível encolhimento do dólar

Você ficou frustrado alguns anos atrás quando os preços da gasolina subiram de repente? O aumento nos preços da gasolina provavelmente criou algumas dificuldades, pois você teve de alterar seus gastos para acomodar seu custo mais elevado. Agora imagine que não apenas os preços da gasolina, mas o preço de quase tudo o que você compra aumente de repente e inesperadamente. Se você tem uma renda fixa, então não precisa alterar muito o seu orçamento para perceber que os preços elevados estão matando suas finanças. A inflação é um fenômeno que você precisa entender se quiser compreender como funciona a economia.

O QUE É INFLAÇÃO?

Nenhuma palavra desperta maior medo no coração dos executivos do Banco Central do que inflação. Definida como aumento geral dos preços ou como diminuição no poder de compra da moeda, a inflação cria problemas para bem mais gente do que o pessoal do Banco Central. A inflação afeta todos na economia. Governos, empresas e famílias estão sujeitos à influência da inflação.

A inflação é gerada por demanda excessiva ou por aumentos nos custos unitários dos produtores, mas é sustentada por muito dinheiro em circulação. Se nada for feito, a inflação pode ter resultados catastróficos para a sociedade.

Durante a década de 1920, a República de Weimar, da Alemanha, sofreu uma inflação extrema. Em vez de aumentar os impostos ou emprestar dinheiro para aumentar a receita, o governo começou a imprimir moeda com a finalidade de fazer suas aquisições. O resultado foi uma inflação descontrolada. Alguns historiadores consideram que o período de inflação e a resultante perda de confiança na República de Weimar plantaram as sementes da ascensão de Hitler ao poder.

Hiperinflação

A inflação húngara foi tão severa em 1945 e 1946 que os preços eram medidos não em dezenas ou centenas, mas bilhões, trilhões e até mesmo octilhões. No final do período de hiperinflação húngara, a oferta total de florins em circulação tinha menos valor que um único florim tinha no início.

Se você estava por aí na década de 1970, então deve se lembrar do período conhecido como a Grande Inflação. A guerra do Vietnã, a OPEP, o colapso do sistema ajustável (em que as moedas do mundo eram atreladas ao dólar) e a política monetária mal administrada geraram as condições para o aumento de preços e da incerteza. Embora a inflação norte-americana sequer tenha chegado perto de dos níveis de inflação na República de Weimar e no atual Zimbábue, foi suficiente para causar turbulência política e trazer mudanças duradouras na forma como as autoridades administram o nível de preços.

MEDIDA DA INFLAÇÃO

A inflação é a taxa de aumento no nível médio de preços da economia. Para medir a inflação é necessário primeiro medir o nível de preços. Os economistas desenvolveram diversas maneiras para medir o nível geral de preços na economia e, portanto, a inflação. A medida da inflação mais citada é a variação do índice de preços ao consumidor (IPC). Além disso, os economistas e as autoridades prestam atenção às mudanças no índice de preços ao produtor (IPP) e no deflator de gastos de consumo pessoal (Personal Consumption Expenditure – PCE).

- Índice de preços ao consumidor (IPC): o índice de preços ao consumidor é uma abordagem de cesta de compras para medir a inflação construída pelo Escritório de Estatísticas do Trabalho. Mudanças no IPC indicam inflação ou deflação. O IPC é a medida de inflação mais amplamente utilizada na economia norte-americana.

- Índice de preços ao produtor (IPP): uma medida da inflação dos preços ao produtor que atua como principal indicador da inflação futura dos preços ao consumidor.
- Deflator dos gastos de consumo pessoal (PCE): um índice de preços utilizado para medir a inflação dos preços ao consumidor que é mais abrangente do que o popular índice de preços ao consumidor (IPC).

Medida da inflação e política pública

Os economistas e as autoridades prestam muita atenção à inflação. A fim de adotar uma política adequada, no entanto, eles devem ignorar determinados tipos de medidas da inflação. O BLS e o BEA publicam medidas do núcleo da inflação e da inflação geral. O IPC geral inclui toda a cesta de compras, enquanto o núcleo do IPC exclui os preços de alimentos e de energia mais voláteis. O Banco Central presta atenção ao núcleo do PCE quando toma suas decisões políticas. Você não vai aumentar as taxas de juros só porque os preços do milho e da gasolina aumentaram.

O IPC

O IPC é uma abordagem de cesta de compras para medir o nível de preços e a inflação. O IPC mede o custo médio de alimentos, roupas, abrigo, energia, transporte e saúde que o consumidor médio urbano compra. Para entender o IPC, imagine que você receba uma lista de compras com milhares de itens diferentes. Você então pesquisa e anota o preço de cada item específico, e depois soma tudo. O custo total da lista representa um nível médio de preços. Suponha ainda que um ano depois você pegue a mesma lista e repita o processo. Aumentos no total da lista de compras representariam a inflação.

O IPP

O IPP é semelhante ao IPC, mas, em vez dos preços ao consumidor, ele analisa os preços ao produtor. O IPP inclui toda a produção nacional de bens e serviços. Ao contrário do IPC, ele também inclui os preços dos bens vendidos de um produtor ao outro. As mudanças no IPP podem ser utilizadas como indicador de futuras mudanças no IPC. Antes de mudarem os preços ao consumidor, mudam os preços ao produtor. Como indica mudanças no IPC, o governo e o Banco Central usam o IPP para criar uma política monetária e fiscal em antecipação à possível inflação ao consumidor.

O deflator PCE

O deflator PCE é uma medida ampla da inflação ao consumidor publicada pelo BEA. Ao contrário do IPC, que mede uma cesta de compras fixa, o deflator PCE mede todos os bens e serviços consumidos pelas famílias e pelas instituições sem fins lucrativos. O deflator PCE é uma medição mais abrangente. Como não lida com uma cesta de compras fixa, o PCE reflete melhor a tendência dos consumidores de substituir itens mais caros por produtos menos caros e sua tendência de variar o consumo com o passar do tempo.

TIPOS DE INFLAÇÃO
Hiperanálise a respeito da hiperinflação

Existem dois tipos principais de inflação: puxada pela demanda e empurrada pelos custos. Entender que tipo de inflação está ocorrendo em dado momento no tempo é importante se as autoridades quiserem reagir de maneira apropriada. Os dois tipos de inflação não são mutuamente excludentes, de modo que é possível que ambos ocorram simultaneamente. Se não for tratada, a inflação pode causar uma espiral de preços e salários ou mesmo uma hiperinflação.

INFLAÇÃO DE DEMANDA

A inflação de demanda ocorre quando os gastos com bens e serviços impulsionam os preços. Em outras palavras, a demanda agregada é maior do que a oferta agregada. A inflação de demanda é alimentada pela renda; portanto, os esforços para detê-la envolvem reduzir a renda dos consumidores ou dar aos consumidores mais incentivos para poupar do que para gastar.

O dinheiro fala mais alto

Demanda agregada
A relação inversa que existe entre o PIB real e o nível de preços na economia. A demanda agregada (DA) é a disposição e capacidade de famílias, empresas, governo e setor externo para comprar a nova produção doméstica de uma nação.

Oferta agregada
O produto interno bruto real que as empresas estão dispostas a produzir a cada nível de preços. No curto prazo, o PIB real e o nível de preços estão diretamente relacionados, mas, em longo prazo, o PIB real é independente do nível de preços.

A inflação de demanda persiste se o setor público ou externo a reforça. Impostos baixos e gastos governamentais exagerados exacerbam a inflação de demanda. O fracasso do Banco Central em controlar a oferta monetária também piora a inflação de demanda.

A inflação de demanda também pode se espalhar para além das fronteiras. O crescimento econômico da China e da Índia não só pressiona os preços nesses países, como também os preços em todo o mundo, à medida que a demanda por importações aumenta.

O dinheiro fala mais alto

Inflação de ativos

A inflação de ativos é um tipo de inflação que ocorre apenas em um setor específico, como o mercado imobiliário, e pode acontecer quando a inflação geral, sem a procura exagerada, seria baixa. Isso cria o que popularmente é chamado de "bolha", em que os preços sobem rapidamente, além de um ponto sustentável. Isso pode ser agravado por uma escassez de oferta. No final, o mercado entra em colapso, rapidamente desvalorizando os ativos nessa classe.

Se os gastos governamentais forem financiados por emissão de moeda ou pelo Banco Central monetizando a dívida, a inflação de demanda pode se tornar hiperinflação. A hiperinflação é definida como uma inflação anual de 100% ou mais. Todos os casos de hiperinflação foram acompanhados pelo governo ou Banco Central emitindo moeda demais.

Monetização da dívida

A monetização da dívida refere-se ao processo pelo qual o Banco Central compra nova dívida pública, aumentando, assim, a oferta de moeda em circulação. Quando a dívida é monetizada, o governo consegue gastar sem aumentar impostos ou tomar emprestado do setor privado. A desvantagem é que a monetização da dívida é extremamente inflacionária.

INFLAÇÃO DE CUSTOS

A inflação de custos ocorre quando o preço dos insumos aumenta. As empresas precisam adquirir matérias-primas, mão de obra, energia e capital para operar. Se esses preços sobem, isso reduz a capacidade dos produtores de gerar produção, pois seu custo unitário de produção aumenta. Se esses aumentos no custo de produção forem relativamente grandes e disseminados, simultaneamente será criada uma inflação mais elevada, o PIB real será reduzido e a taxa de desemprego aumentará.

Estagflação

Você pode conhecer a combinação de inflação mais elevada, redução do PIB real e aumento do desemprego por outro nome: estagflação. Na década de 1970, a OPEP cortou a produção de petróleo, o que gerou preços de energia muito mais elevados, junto com inflação de dois dígitos e desemprego. Ao se deparar com custos operacionais mais elevados, os produtores reduziram a produção. Relativamente à demanda por seus produtos, a oferta diminuiu, o que resultou em inflação de custos.

Se a inflação de custos tem um lado bom, é que ela é autolimitante. A inflação de custos está associada à diminuição do PIB. O PIB menor e a resultante elevação do desemprego ajudam a reduzir os preços para o produtor. O truque para combater a inflação de custos é perceber que não é uma inflação de demanda. A prescrição de políticas para cada uma é diferente, e aplicar a prescrição errada pode criar mais problemas do que resolvê-los.

O dinheiro fala mais alto

Ativos
Tudo o que é de propriedade de um indivíduo ou empresa. Para os bancos, os ativos incluem suas reservas, empréstimos aos clientes, títulos e imóveis.

O problema do desemprego é que ele normalmente estimula as autoridades a agir. Se elas reagem ao aumento do desemprego elevando os gastos, o problema da inflação piora. Uma espiral de preços e salários pode acontecer se as respostas políticas criarem mais demanda para bens e serviços ao mesmo tempo que os custos unitários sobem. Como analogia, a prescrição para um incêndio em lubrificantes é diferente da prescrição para um incêndio florestal.

O incêndio em lubrificantes é extinto eliminando-se a fonte de oxigênio, enquanto o incêndio florestal é extinto com água. Se você jogar água em um incêndio em lubrificantes, as coisas ficam piores. Foi o que aconteceu na década de 1970. Em vez de deixar que a inflação de custos seguisse o seu curso natural, o Banco Central despejou dinheiro nela e a inflação piorou.

Inflação boa

Uma pequena quantidade de inflação é considerada saudável para a economia, pois a antecipação de que os preços subirão aumenta a demanda. Esse aumento da demanda ajuda a economia a se expandir. No entanto, quando a inflação sobe demais, a demanda aumenta demais (pois as pessoas antecipam preços muito maiores), gerando inflação de demanda e preços ainda mais elevados. O número mágico parece ser de 2%. A uma taxa anual de inflação de 2%, os preços são relativamente estáveis e sobem lentamente. Com essa taxa os preços dobram a cada 36 anos.

INFLAÇÃO: GANHADORES E PERDEDORES

Ou quando você deve pedir emprestado em vez de poupar

A inflação cria ganhadores e perdedores. Saber quem ganha é importante para entender por que às vezes se permite que ela persista. Quando é esperada e estável, a inflação é bastante benigna. As pessoas e as instituições conseguem se planejar e embuti-la em suas decisões. Se a inflação não é esperada, isso cria uma situação perde-ganha na sociedade. Quem pode ganhar com a inflação?

BENEFICIANDO-SE COM A INFLAÇÃO

Em primeiro lugar, considere o que é a inflação: um aumento geral nos preços e uma diminuição correspondente do poder de compra da moeda. Os tomadores de empréstimos se beneficiam de um aumento geral dos preços ou de uma redução no poder de compra. Quando indivíduos, empresas e governos contraem empréstimos, geralmente é a uma taxa de juros fixa que tinha algum nível de inflação esperada embutido nela. Se ocorrer uma inflação maior do que a esperada, então o valor real da dívida do tomador de empréstimo diminui.

Suponha que os bancos emprestem bilhões de reais a uma taxa de juros nominal fixa de 5%. Se a inflação aumentasse inesperadamente de 2% para 4%, então a taxa de juros real paga pelos tomadores seria reduzida de 3% para 1%. Em termos mais simples, o dinheiro emprestado valia mais do que o dinheiro reembolsado.

Outro grupo que se beneficia de um aumento nos preços ao consumidor no curto prazo é o dos produtores. Quando ocorre uma inflação inesperada, os preços ao consumidor aumentam, enquanto os salários permanecem relativamente estáveis. Isso permite que os produtores tenham lucros maiores por um tempo, até que os salários se ajustem para refletir os preços mais elevados que os consumidores estão pagando.

Excesso de emissão e inflação

No passado, muitos governos de países em desenvolvimento tentavam apagar sua dívida externa emitindo moeda em excesso e desvalorizavam ela para satisfazer a dívida. Dada a dívida atual dos Estados Unidos, alguns temem que o governo possa tentar fazer algo semelhante. A maioria das nações desenvolvidas tem bancos centrais independentes para agir como um controle sobre o incentivo do governo para imprimir moeda. Nos Estados Unidos, o Federal Reserve está um pouco isolado da pressão política e pode restringir a oferta monetária, quando os incentivos do governo são para expandi-la.

PERDA COM A INFLAÇÃO

A inflação prejudica mais do que ajuda. Os credores e os poupadores perdem quando a inflação supera as expectativas. Ambos recebem taxas de juros que assumem alguma taxa de inflação, e quando a taxa real supera a taxa esperada, poupadores e credores são prejudicados. Talvez você poupe dinheiro em um certificado de depósito bancário. Suponha que você compre um CDB simples de um ano de 1 mil reais que pague 4% de juros nominais. Se a inflação aumentar inesperadamente de 2% para 5%, então a taxa de juros real que você ganha é de aproximadamente – 1%. Você está pior do que quando começou. Em termos nominais, você ainda ganhou 40 reais de juros. O problema é que os 1.040 reais de agora têm menos poder de compra do que os 1 mil reais com os quais você começou.

A inflação é mais dura com aqueles que têm rendimentos menores. As pessoas com baixos rendimentos costumam ter a maior parte de sua riqueza na forma de dinheiro do que aqueles com rendimentos mais elevados. As pessoas de alta renda têm dinheiro, sem dúvida, mas também costumam ter grande parte de sua riqueza em outros ativos reais e financeiros. Para os pobres, a inflação cobra um pedágio mais pesado porque destrói o valor de seu principal ativo, que é o dinheiro. As pessoas de renda mais alta conseguem compensar parte do efeito da inflação mantendo ativos que realmente valorizam com a inflação.

Aqueles que vivem com renda fixa também são prejudicados pela inflação. Durante os períodos de inflação não antecipada, as pessoas com rendimento fixo veem a sua renda real diminuir. Os profissionais com um salário fixo ou os aposentados que vivem com uma pensão fixa perdem o poder de compra na medida em que a taxa de inflação supera o índice de correção pelo qual a sua remuneração aumenta. Para atenuar alguns desses efeitos, os empregadores – ou, no caso dos beneficiários da Previdência Social, o governo – ajustam a remuneração à inflação por meio de ajustes do custo de vida (*cost-of-living adjustments* – COLA). Mesmo com o COLA, as pessoas com rendimento fixo ainda são prejudicadas pela inflação, pois o ajuste de custo ocorre depois da inflação. Durante períodos de inflação acima do esperado, quem recebe rendimento fixo está sempre participando de um jogo em que os aumentos de sua remuneração são pequenos demais e chegam tarde demais.

O cardápio do restaurante como indicador de inflação

Da próxima vez que se sentar em um restaurante com cardápios plastificados, pense no que isso quer dizer sobre a inflação. Ao plastificar seus cardápios, os restaurantes não apenas os protege contra a sujeira, mas também testemunham que os preços são relativamente estáveis. Quando a inflação está fora de controle, os restaurantes têm de atualizar seus preços continuamente para não ter preços fixos no cardápio. Ao contrário dos preços do restaurante, os preços de frutos do mar são altamente voláteis; por isso geralmente vêm escritos em um quadro-negro.

A inflação cria problemas práticos para indivíduos e empresas na economia. Como o dinheiro perde rapidamente o valor, os consumidores devem se envolver de transações com mais frequência, pois se apressam em gastar o que possuem. O aumento nas transações cria o que é chamado de custos de sola de sapato. Você desgasta seus sapatos mais rapidamente quando a inflação está presente devido ao aumento de suas transações. A inflação também traz um problema aos produtores, que constantemente têm que mudar os preços de seus bens à medida que a inflação continua. Lembre-se de que não existe essa coisa de almoço grátis. Colocar preço nos bens não é gratuito. Se a inflação é alta, então custos significativos são criados quando as empresas pagam aos funcionários para atualizar os preços de seus itens. A persistência da inflação resulta em produção perdida, pois recursos de trabalho são colocados na tarefa de atualizar os preços em constante mudança.

DESINFLAÇÃO E DEFLAÇÃO
Estourando o balão

Um dos triunfos do Fed veio no início da década de 1980, quando o Banco Central sob o comando do então presidente Paul Volcker elevou as taxas de juros e ajudou a reduzir a inflação de uma taxa de dois dígitos para modestos 4%, encerrando, assim, um período conhecido como a Grande Inflação. Se você é dessa época, então deve se lembrar de que a ação do Fed também resultou na pior recessão em décadas. Em retrospecto, muitos economistas concordam que a redução na inflação ou a deflação resultante valeu o custo da recessão. Da década de 1980 em diante, a inflação permaneceu relativamente baixa e estável e marcou o início de uma era econômica conhecida como a Grande Moderação.

DESINFLAÇÃO

A desinflação é benéfica para uma economia por várias razões. Ela reduz as pressões para aumentar os salários, pois os preços são mais estáveis. Também resulta em taxas de juros menores, mais estáveis, que tornam o investimento de capital menos dispendioso e mais fácil de planejar. Indiscutivelmente, o resultado mais importante da desinflação é que as expectativas inflacionárias dos produtores e consumidores são menores, e, assim, temos um ambiente econômico profundamente mais estável.

O papel das expectativas

Uma das características interessantes da economia são as profecias autorrealizáveis. No reino da inflação, o medo ou o excesso de confiança é muitas vezes percebido com mudanças na taxa de inflação. O medo da inflação ou a expectativa geral de que a inflação ocorra é muitas vezes suficiente para desencadear um período inflacionário. Consumidores com medo da inflação gastarão mais e pouparão menos, o que resulta em inflação de demanda. A inflação resultante do aumento de demanda reforça as expectativas de inflação futura, e os assalariados exigem salários nominais mais altos para compensar os efeitos. Isso, naturalmente, leva à inflação de custos. Se as autoridades não conseguem administrar as expectativas da inflação, uma taxa de inflação esperada mais elevada incorpora-se na consciência econômica. Com essa taxa mais alta, a economia não consegue produzir o mesmo, como ocorreria com inflação menor, e enfrenta preços mais elevados do que deveria.

Cuidado com o que você diz!

Administrar as expectativas da inflação significa que o presidente do Fed deve ter muito cuidado com o que diz. O ex-presidente Alan Greenspan ficou famoso por suas frases enigmáticas, muitas vezes chamadas de linguagem do Fed. De acordo com Greenspan: "Eu acho que devo alertá-lo: se eu me tornar particularmente claro, você provavelmente não entendeu muito bem o que eu disse".

As autoridades do Banco Central tentam administrar não apenas a inflação real, mas, principalmente, a expectativa de inflação futura. Como o medo da inflação é muitas vezes suficiente para criá-la, as autoridades acabam agindo como psicólogos para a economia.

No entanto, não adianta só falar quando se trata de administrar as expectativas; o banco tem de cumprir o que diz. Se alguma vez já lidou com crianças, você sabe que palavras sem ação são inúteis. Um pai ou uma mãe podem reagir a um comportamento insolente de um adolescente ameaçando: "Se você não parar de se comportar dessa maneira, vou confiscar seu celular durante todo o fim de semana". Se o comportamento insolente continuar e os pais não agirem conforme ameaçaram, a credibilidade deles fica prejudicada. Contudo, o pai ou a mãe que consistentemente cumprem suas ameaças, têm muito mais credibilidade.

Da mesma forma, o Banco Central norte-americano reforça a sua credibilidade quando aumenta as taxas de juros em resposta aos temores da inflação, mas perde quando não responde com força à possibilidade de inflação. A credibilidade do Fed no combate à inflação foi fortemente reforçada pela atuação de Paul Volcker na presidência do banco porque ele disse o que pensava fazer e fez o que disse.

DEFLAÇÃO

Se a inflação é ruim e a desinflação é melhor, então a deflação deve ser o máximo, certo? Errado. A deflação ocorre quando o nível médio de preços diminui e o poder de compra da moeda aumenta. O que poderia haver de errado com isso? O problema com a deflação é que detona um conjunto perverso de incentivos na economia. Se os preços estão constantemente diminuindo, então os consumidores adiam suas compras de bens duráveis à medida que as ofertas ficam cada vez melhores com o passar do tempo. Se esse comportamento persiste, a indústria transformadora sofre uma parada, resultando em desemprego generalizado. O desemprego reforça então a deflação, pois cada vez menos consumidores estariam dispostos e em condições de comprar bens e serviços. Os produtores reagem de forma semelhante à deflação, postergando investimento e agravando os efeitos do consumo adiado.

A deflação representa um dilema para os bancos centrais que utilizam principalmente as taxas de juros para influenciar a atividade econômica. Em resposta ao aumento da inflação, os bancos centrais aumentam as taxas de juros para reduzir o fluxo de crédito e arrefecer a pressão inflacionária. Não existe limite superior para a alta das taxas de juros, mas o contrário não é verdade. Diante da deflação, os bancos centrais reduzem as taxas de juros para incentivar o investimento e o consumo. Se as taxas de juros menores não têm o efeito desejado, os bancos centrais continuam a reduzi-las até atingirem o que os economistas chamam de limite zero. Quando as taxas de juros atingem zero, não podem mais diminuir.

John Maynard Keynes referiu-se a essa fragilidade na política monetária como armadilha de liquidez. Quando os consumidores e investidores não contraem empréstimos a juros de 0%, então você fica sem opções.

A solução da deflação

A solução para a deflação é criar inflação. Milton Friedman sugeriu que em economias com padrão de moeda não conversível, a deflação nunca deveria ser um problema. Bastaria às autoridades monetárias imprimir dinheiro, ou, no caso de economias com banco central independente, monetizar a dívida, e a deflação terminaria. Costuma-se dizer que essa política é como se um governo acabasse com a deflação jogando dinheiro de helicópteros. Em 2002, essa solução foi reiterada pelo presidente do Fed, Benjamin Bernanke, granjeando-lhe o apelido de "Helicóptero Ben".

DEMANDA AGREGADA E OFERTA AGREGADA

A bola de cristal do economista

Depois de ter compreendido os conceitos de oferta e demanda, PIB, desemprego e inflação, você tem um conjunto de ferramentas para entender as flutuações econômicas que ocorrem. O modelo de demanda agregada e oferta agregada permite que você analise toda a economia. Você até será capaz de prever o que pode acontecer caso ocorram determinados eventos. Se não tiver cuidado, poderá até parecer um economista da próxima vez que o Banco Central aumentar a taxa de juros.

DEMANDA AGREGADA

Lembre-se de que a demanda é a disposição e capacidade dos consumidores para comprar um bem ou serviço a vários preços em um período específico de tempo. A demanda agregada (DA) é um conceito semelhante, mas tem algumas distinções importantes. DA é a demanda para toda a produção doméstica final em um país. Em vez de vir apenas das famílias, a DA vem de todos os setores da economia. Além disso, a DA relaciona o nível de preços com o valor do PIB real, em vez de relacionar os preços com a quantidade.

A relação entre o nível de preços e o valor do PIB real é inversamente proporcional. Quanto maior o nível de preços, menos PIB real é demandado, e quanto menor o nível de preços, mais PIB real é demandado. Isso ocorre porque, à medida que o nível de preços aumenta, o dinheiro e outros ativos financeiros perdem poder de compra. Menos povos compram nossas exportações, e as correspondentes taxas de juros mais altas desestimulam o investimento e o consumo. Quando o nível de preços diminui, o poder de compra aumenta, as exportações ficam mais acessíveis aos estrangeiros e as correspondentes taxas de juros menores incentivam o investimento e o consumo.

Mudanças na DA ocorrem quando consumo, investimento privado, gastos do governo ou exportações líquidas variam independentemente das mudanças no nível de preços. Por exemplo, se o humor geral do país melhora e os consumidores e as empresas se sentem mais confiantes, eles vão consumir e investir mais, seja qual for o nível de preços. Esse aumento no consumo e no investimento eleva a DA.

Da mesma forma, aumentos nos gastos do governo ou nas exportações líquidas também tendem a elevar a DA. Reduções em qualquer um dos componentes de despesa do PIB tendem a sufocar a DA. Se o governo aumenta as taxas médias do imposto sobre a renda, o rendimento disponível das famílias é reduzido, e elas consomem menos, o que diminui a DA.

OFERTA AGREGADA

A oferta é a disposição e capacidade dos produtores de gerar a produção de algum bem ou serviço a vários preços em um período de tempo específico. A oferta agregada é um conceito muito mais amplo do que a oferta, pois inclui toda a produção doméstica, não apenas um bem ou serviço peculiar. Da mesma forma que uma empresa individual, uma economia tem uma função de produção que relaciona a quantidade de mão de obra empregada com a quantidade de produção ou PIB real que a economia consegue produzir com algum nível fixo de capital. No curto prazo, a quantidade de PIB real fornecida está diretamente relacionada com o nível de preços. No entanto, em longo prazo, a quantidade de PIB real que os produtores coletivamente fornecem é independente do nível de preços.

O curto prazo

Por que as empresas respondem no curto prazo ao aumento dos níveis de preços produzindo mais e, no caso de diminuição dos níveis, produzindo menos? Antes de responder a essa pergunta é importante lembrar o que se entende por curto prazo no sentido macroeconômico. O curto prazo é o período de tempo em que os preços dos insumos (principalmente os salários nominais) não se ajustam às mudanças no nível de preços. Se a economia passa por uma inflação inesperada, o curto prazo é o período em que os salários monetários permanecem fixos antes de finalmente se ajustarem à inflação. Durante esse período, as empresas obtêm lucros maiores, pois sua produção ganha preços cada vez mais elevados, mantendo os mesmos pagamentos de salários aos seus trabalhadores. As empresas respondem aos lucros maiores aumentando sua produção coletiva, ou o PIB real. Em resposta a uma diminuição do nível de preços, as empresas reduzem a produção à medida que experimentam perdas. Essa relação é chamada de oferta agregada de curto prazo (*short-run aggregate supply* – SRAS).

A SRAS é afetada por mudanças no custo de produção por unidade. À medida que os custos de produção por unidade caem, a economia consegue produzir mais PIB real a cada nível de preços, e, à medida que os custos unitários aumentam, a capacidade da economia de gerar PIB real é reduzida. No verdadeiro linguajar do estilo econômico, os próprios custos de produção por unidade estão sujeitos à influência de produtividade, regulamentação, impostos, subsídios e expectativas inflacionárias.

- A produtividade é a produção por trabalhador e, com o seu aumento, os custos por unidade caem. Diminuições na produtividade implicam maiores custos de produção por unidade.
- As regulamentações implicam custos para sua observância e atuam reduzindo a SRAS. Por exemplo, para reduzir as emissões de dióxido de enxofre, as fábricas têm de pagar por depuradores de fumaça nas chaminés, o que significa que o dinheiro não pode ser utilizado para aumentar a produção.
- Os impostos sobre os produtores reduzem diretamente sua capacidade de produzir, enquanto os subsídios aumentam sua capacidade produtiva.

Expectativas inflacionárias e mudanças na SRAS

As expectativas inflacionárias influenciam os custos unitários de produção e, portanto, a SRAS. À medida que aumentam as expectativas inflacionárias, os trabalhadores exigem salários maiores, os credores exigem taxas de juros mais altas e os preços das *commodities* aumentam em consequência da especulação. O resultado é a redução da SRAS em função das expectativas inflacionárias. A diminuição nas expectativas inflacionárias tem o efeito oposto e acaba atuando no sentido de aumentar a SRAS.

O longo prazo

Em longo prazo, o nível de preços é irrelevante para o nível de PIB real que as empresas estão dispostas a produzir. O longo prazo é o período de tempo em que os preços dos insumos se ajustam às mudanças no nível de preços. Ao contrário do curto prazo, em que aumentos no nível de preços induzem mais produção, no longo prazo as empresas não auferem lucros maiores e, portanto, não têm qualquer incentivo para aumentar a produção. Por quê? Os preços dos insumos correspondem aos aumentos no nível de preços. Portanto, em longo prazo, os preços dos insumos das empresas (salários) aumentam à mesma taxa que a inflação geral dos preços e, em termos reais, são constantes. A independência do PIB real em relação ao nível de preços é chamada de oferta agregada de longo prazo (*long-run aggregate supply* – LRAS).

Mudanças na LRAS

A LRAS é diretamente influenciada pela disponibilidade dos fatores de produção. Se terra, trabalho, capital e empreendedorismo aumentam, então a LRAS aumenta. A diminuição na disponibilidade desses recursos reduz a LRAS. Aumentos na LRAS são caracterizados como crescimento econômico. Diminuições na LRAS representam um declínio econômico de longo prazo. A peste negra medieval que dizimou um terço da população europeia é um exemplo de um evento que reduz a LRAS. A invenção da máquina a vapor exemplifica o tipo de tecnologia que expande a LRAS.

EQUILÍBRIO MACROECONÔMICO
Juntando tudo

O equilíbrio macroeconômico ocorre quando o PIB real demandado pelos diferentes setores econômicos é igual ao PIB real oferecido pelos produtores. Os equilíbrios de curto prazo ocorrem quando a DA é igual à SRAS, e os equilíbrios de longo prazo ocorrem quando a DA é igual à LRAS. Mudanças no equilíbrio macroeconômico ocorrem quando há mudanças na DA, na SRAS ou na LRAS.

Aumentos na DA em relação à SRAS resultam no aumento tanto do nível de preços quanto do PIB real no curto prazo, mas apenas no aumento do nível de preços em longo prazo.

A INTERAÇÃO ENTRE DA, LRAS E SRAS

À medida que consumidores, empresas, governos e setor externo demandam mais produção escassa, as empresas respondem ao aumento do nível de preços elevando a produção. No longo prazo, os salários se ajustam ao aumento do nível de preços, e o PIB retorna ao seu potencial de longo prazo em um nível de preços mais alto. A inflação de demanda resulta de aumentos da DA. As diminuições da DA resultam no oposto. À medida que a DA diminui em relação à SRAS, tanto o PIB real quanto o nível de preços caem. No longo prazo, salários e outros preços de insumos se ajustam ao menor nível de preços e a economia retorna ao seu PIB potencial de longo prazo em um nível de preços menor do que quando o processo começou.

Mudanças no desemprego e na demanda agregada

O que acontece com o desemprego à medida que a demanda agregada se altera? Aumentos na DA levam a aumentos no PIB real. O aumento do PIB real gera mais demanda por mão de obra e reduz a taxa de desemprego. A redução do desemprego ocorre ao custo de um aumento no nível de preços.

Mudanças na SRAS em relação à DA também levam a mudanças no PIB real e no nível de preços. Ao contrário das mudanças na

DA, que levam ao PIB e ao nível de preços se movendo na mesma direção, as mudanças na SRAS resultam em PIB e nível de preços se movendo em direções opostas entre si.

- Um aumento da SRAS em relação à DA leva a um PIB real maior em um nível de preços menor, pois, à medida que os custos de produção caem, as empresas ficam mais dispostas a produzir mais em cada nível de preços.
- Uma diminuição da SRAS em relação à DA leva à condição econômica anteriormente descrita como estagflação. A estagflação ocorre quando as diminuições do PIB se juntam com aumentos no nível de preços. Quando os custos de produção aumentam, as empresas produzem menos em cada nível de preços.

A VISÃO CLÁSSICA

Antes da Grande Depressão, o pensamento econômico ortodoxo poderia ser descrito como clássico. Hoje, o clássico não se refere apenas àqueles economistas com conceitos anteriores à depressão sobre a economia, mas também a um grupo muito mais amplo de economistas que defendem soluções baseadas no mercado para problemas econômicos. A escola clássica defende o que é mais bem descrito como a filosofia do *laissez-faire*.

A visão clássica da economia é aquela que enfatiza a estabilidade inerente da demanda agregada e da oferta agregada. Os mercados eficientes conseguem rápida e eficazmente alcançar condições de equilíbrio, de modo que períodos de desemprego prolongado não são possíveis. Quando param de gastar, os consumidores passam a poupar. Esse aumento da poupança reduz a taxa de juros real e estimula o investimento em capital, de modo que qualquer diminuição no consumo é compensada pelo aumento do investimento. Isso leva à conclusão de que a DA é estável.

Se ocorrerem choques na economia, salários e preços flexíveis permitem que a economia rapidamente se ajuste às mudanças no nível de preços, já que os atores econômicos racionais levam em conta todas as informações disponíveis ao tomar decisões. Por exemplo, os trabalhadores aceitarão salários mais baixos em resposta à deflação e exigirão salários mais altos em resposta à inflação. Essa rápida resposta indica que a economia tende a permanecer no seu equilíbrio de longo prazo do pleno emprego. A interferência do governo não se justifica nesse pressuposto e, consequentemente, o *laissez-faire* é a melhor política.

A Lei de Say

Um dos pressupostos que estão no centro do pensamento econômico clássico é a Lei de Say. O economista francês Jean-Baptiste Say acreditava que a oferta gera sua própria demanda e, como resultado, superávits e excedentes não poderiam ser mantidos em uma economia de mercado.

A resposta da escola clássica à recessão econômica é não fazer nada. Uma diminuição na DA leva a um PIB menor e a um menor nível de preços. O alto desemprego resultante exerce uma pressão para a diminuição dos salários, pois os trabalhadores se disporiam a voltar a trabalhar por menos dinheiro. Esses salários mais baixos incentivam as empresas a aumentar a SRAS e a economia retorna ao equilíbrio no pleno emprego. Nenhuma ação do governo é necessária, pois as forças do mercado trabalham para trazer a economia de volta ao pleno emprego.

A resposta da escola clássica à inflação também é não fazer nada. O aumento da DA leva a um PIB maior e a um maior nível de preços. Como a taxa de desemprego cai abaixo da taxa natural, ocorre uma considerável pressão por aumentos de salários. Com poucos trabalhadores desempregados disponíveis, as empresas competem entre si por trabalhadores já empregados; isso significa oferecer salários mais altos para seduzi-los a deixar o emprego atual. Essa intensa competição por trabalhadores e outros recursos aumenta os custos de produção para as empresas. Elas acabam reduzindo a produção e a economia volta ao pleno emprego em um nível de preços mais elevado. Mais uma vez, nenhuma intervenção do governo é necessária, pois as forças de mercado devolvem a economia ao seu equilíbrio de pleno emprego em longo prazo.

VISÃO KEYNESIANA E POLÍTICA FISCAL

O intrometido

O britânico John Maynard Keynes foi um economista de formação clássica que chegou à conclusão de que os pressupostos da escola clássica não descreviam a realidade de sua época. Durante a Depressão, Keynes escreveu *Teoria geral do emprego, do juro e da moeda*. No livro, ele desafiava os pressupostos vigentes e concluía que a intervenção do governo era justificada no caso da Depressão. Ele observou que a poupança não se traduzia instantaneamente em novos investimentos de capital. Poupança em excesso podia e efetivamente ocorria, e isso implicava que a DA era inerentemente instável, pois as diminuições no consumo não eram compensadas por aumentos no investimento.

Inimigo do mercado livre?

Keynes é uma figura polarizadora na economia. Suas ideias desafiavam o status quo e ele é considerado por muitos um inimigo da economia do livre mercado. Os escritos de Friedrich von Hayek e Ludwig von Mises da escola austríaca de pensamento econômico são muitas vezes citados hoje como um contraponto aos argumentos de Keynes.

Keynes também observou que os salários e outros preços de insumos não eram flexíveis para baixo. Os trabalhadores não aceitavam facilmente diminuições salariais, nem os empregadores lhes ofereciam. Consequentemente, períodos de elevado desemprego podiam se prolongar, pois as forças de mercado não funcionavam para levar a economia ao pleno emprego. A conclusão dessas observações era a de que a intervenção do governo seria necessária no caso de desemprego elevado.

KEYNES E RECESSÃO

Dada uma recessão, a resposta keynesiana é a de aumentar os gastos do governo e reduzir os impostos sobre os rendimentos a fim de estimular a demanda agregada e devolver a economia ao pleno emprego. Isso significa que o governo deve estar disposto a incorrer em déficits para executar essa política. Pelo lado positivo, Keynes mostra que o retorno da economia ao pleno emprego pode ser feito de forma relativamente barata devido ao efeito multiplicador. Se o PIB real for de 14 trilhões de dólares, mas o PIB real potencial for de 15 trilhões de dólares, o governo não precisa gastar 1 trilhão de dólares para cobrir a diferença da recessão, mas apenas uma fração disso por causa do efeito multiplicador.

Como Keynes define o efeito multiplicador? Ele observou que os indivíduos têm uma propensão marginal a consumir e poupar. Em outras palavras, se você der um real às pessoas, elas ficam inclinadas a gastar parte disso e poupar o resto. Se o governo gastar dinheiro em obras públicas, os construtores e empregados pegarão o dinheiro e gastarão parte da renda resultante e pouparão o resto. Esse processo continuaria e geraria um efeito multiplicador por toda a economia.

Por exemplo, se os norte-americanos têm uma propensão marginal a consumir 80% de sua renda, então um aumento nos gastos governamentais com infraestrutura de 50 bilhões de dólares resultará em 50 bilhões de dólares em gastos do governo e em 40 bilhões de dólares em novos gastos de consumo, seguidos por 32 bilhões de dólares e assim por diante, até que os gastos finais totalizem 400 bilhões de dólares. Como isso funciona? Os 50 bilhões de dólares em gastos do governo iniciam um ciclo contínuo de consumo e renda. Quanto maior a propensão marginal a consumir, maior o efeito multiplicador. Keynes também percebeu que os gastos governamentais produziam um efeito multiplicador maior do que um corte de impostos de igual tamanho porque as pessoas economizam uma parte de sua renda. Assim, nem todo o valor do corte de impostos é gasto no consumo.

As observações e a influência de Keynes mudaram completamente o estudo da economia. A estrutura de políticas de hoje se baseia nas ideias de Keynes e seus seguidores. Embora grande parte do debate moderno seja enquadrada em termos de capitalismo de livre mercado *versus* socialismo, Keynes foi um defensor do capitalismo, e sua abordagem é mais bem caracterizada como uma forma híbrida de capitalismo, do que socialismo.

Adotando Keynes

A política econômica keynesiana tornou-se lei nos Estados Unidos com a aprovação da Lei de Emprego de 1946. Assinada pelo presidente Truman, a lei exigia que o governo buscasse o máximo de emprego, produção e poder de compra. A lei também criou o Conselho de Assessoria Econômica.

A TROCA ENTRE INFLAÇÃO E DESEMPREGO

A influência do pensamento keynesiano cresceu dos anos 1930 até a década de 1970. A pesquisa do economista nascido na Nova Zelândia, A.W. Phillips, ajudou a reforçar a influência de Keynes sobre os governos durante esse período. Phillips estudou a relação entre a inflação salarial e a taxa de desemprego na Grã-Bretanha e concluiu que períodos de inflação salarial estavam associados a períodos de baixo desemprego. Já períodos de estagnação salarial a períodos de alto desemprego. Os economistas norte-americanos Paul Samuelson e Robert Solow adaptaram a curva de Phillips para a economia norte-americana. Utilizando esse modelo, eles compararam a inflação geral dos preços (em vez da inflação salarial) com a taxa de desemprego. Muitos economistas e autoridades chegaram à conclusão lógica de que as políticas fiscais de estilo keynesiano que estimulavam a DA poderiam ser usadas para manter o baixo desemprego ao custo de alguma quantidade conhecida de inflação. A ideia funcionava um pouco da seguinte forma: as autoridades queriam reduzir o desemprego de 7% para 5%; a troca seria por uma mudança conhecida na taxa de inflação de 1% para 2%.

A experiência da década de 1970 causou sérias dúvidas sobre a legitimidade da curva de Phillips. Você se lembra da estagflação? Durante os anos 1970, tanto a inflação quanto o desemprego aumentaram simultaneamente. Esses resultados não se alinhavam com as previsões da curva de Phillips, que dizia que os dois representavam uma troca.

Milton Friedman e Edmund Phelps consideraram esses dados do mundo real uma refutação da curva de Phillips e, mais importante ainda, da validade da economia keynesiana. Friedman e Phelps propuseram a hipótese da taxa natural, que concluía que a taxa de desemprego é independente da inflação no longo prazo. Os esforços do governo para reduzir o desemprego através da criação de uma inflação temporária seriam ineficazes. Os trabalhadores tentariam evitar que seus salários reais caíssem, exigindo salários nominais mais elevados, em linha com a inflação.

A ilusão do dinheiro

Uma suposição da economia keynesiana é de que as pessoas sofrem de ilusão do dinheiro. Elas preferem ganhar 100 reais por hora e pagar 10 reais por litro de gasolina a ganhar 10 reais por hora e pagar 1 real por litro de gasolina. Embora o poder de compra real seja o mesmo em cada um dos exemplos, as pessoas têm uma forte preferência por salários nominais mais elevados.

O novo consenso sobre a curva de Phillips é que existem dois tipos de curvas. Há uma curva de Phillips de curto prazo que implica uma troca entre inflação e desemprego, e existe uma curva de Phillips de longo prazo que ocorre em uma taxa natural de desemprego de uma economia. A amostragem de alguns anos de dados de inflação e desemprego pode sugerir uma relação inversa entre os dois, mas a inclusão de todos os dados disponíveis revela que não há relação alguma entre as duas variáveis.

Os economistas atribuem as mudanças na curva de Phillips de curto prazo *versus* a curva de Phillips de longo prazo como o resultado de mudanças nas expectativas da inflação. As observações originais de Phillips sobre a economia britânica eram relativas a um período de tempo em que a inflação esperada era estável. A ruptura do regime de taxa de câmbio ajustável em 1971 efetivamente acabou com qualquer tipo de padrão-ouro e deu início a um período de incertezas sobre a inflação. Os resultantes aumentos das expectativas de inflação ajudam a explicar o aumento da inflação e do desemprego que ocorreu. As curvas de Phillips de curto prazo existem durante períodos de expectativas de inflação estáveis. Quando as expectativas de inflação mudam, rompe-se a relação da curva de Phillips de curto prazo, e podem ocorrer aumentos ou diminuições simultâneos da inflação e do desemprego. Quando uma nova taxa de inflação esperada se incorpora na economia, surge uma nova curva de Phillips de curto prazo.

Alan Greenspan considera que a redução nas expectativas de inflação foi o motivo para a baixa inflação e o desemprego que ocorreram durante o seu período de presidência do Fed. De acordo com Greenspan, os ganhos de produtividade a partir da globalização contiveram os temores da inflação durante grande parte de seu mandato. Levando em conta a influência das expectativas inflacionárias, as políticas keynesianas somente funcionam enquanto as expectativas de inflação permanecem estáveis. Se as políticas keynesianas de DA criarem expectativas de inflação mais elevada, elas fracassarão, pois as tentativas de estimular a DA e de reduzir o desemprego somente gerarão mais inflação.

O SISTEMA DO BANCO CENTRAL NORTE-AMERICANO (FEDERAL RESERVE)

O banco que amamos odiar

Os Estados Unidos têm um longo e célebre relacionamento de amor e ódio com seu sistema bancário. A instituição mais vilificada é o Banco Central do país, o Federal Reserve, ou apenas Fed. O Fed não é o primeiro Banco Central dos Estados Unidos, nem mesmo o segundo. Independentemente de seus sentimentos em relação ao banco ou à história por trás dele, o Fed está no centro da economia norte-americana e merece uma cuidadosa consideração.

A HISTÓRIA DOS BANCOS REVISITADA

No final da Revolução Americana, os Estados Unidos ficaram sobrecarregados com uma significativa dívida de guerra. Para lidar com a dívida e criar uma moeda unificada, Alexander Hamilton propôs a criação de um Banco Central para a jovem nação. O First Bank of the United States, sediado na Filadélfia, seguiu o modelo do Banco da Inglaterra. Ele atuou como Banco Central do país desde a sua fundação em 1791 até 1811, quando se permitiu que a carta-patente expirasse.

No século XIX, os Estados Unidos passaram por uma série de pânicos econômicos que levaram à criação de outro Banco Central. Esse banco acabou se tornando um alvo político e não conseguiu trazer a estabilidade econômica ao país.

O Second Bank of the United States recebeu uma carta-patente de 20 anos em 1816 para ajudar a economia dos Estados Unidos a se recuperar dos efeitos econômicos da Guerra de 1812. O Second Bank estabeleceu uma moeda uniforme e atuou como depositário das contas do Tesouro. Muitos consideravam o Second Bank of the United States um banco corrupto e a pressão política do presidente Andrew Jackson selou seu destino. Em 1833, três anos antes de expirar sua carta-patente, Jackson fez seu secretário do Tesouro retirar os depósitos do governo norte-americano do banco e colocá-los em instituições estaduais. Isso efetivamente matou o banco e em 1841 o Second Bank of the United States foi à falência.

Durante e depois da Guerra Civil, os Estados Unidos criaram mais bancos nacionais e reintroduziram uma moeda única uniforme. Esses bancos nacionais foram fundamentais para permitir que o governo contraísse empréstimos emitindo títulos. No entanto, ao contrário do First Bank e Second Bank of the United States, esses bancos nacionais eram descentralizados.

O pânico bancário de 1907 foi o ímpeto para a criação do Sistema do Federal Reserve. Uma tentativa fracassada de um investidor de Montana para dominar o mercado de cobre gerou uma perda de confiança nas instituições financeiras associadas a ele e a seu irmão. O contágio se espalhou para instituições não associadas e, em poucos dias, aconteceu uma corrida generalizada a todo o sistema financeiro de Nova York. Felizmente, J. P. Morgan e o secretário do Tesouro de Theodore Roosevelt trouxeram calma à situação injetando dinheiro no sistema bancário e, finalmente, trazendo um fim às corridas aos bancos. O pânico de 1907 mostrou que os Estados Unidos necessitavam de um Banco Central para atuar como credor de última instância a fim de garantir a liquidez do sistema bancário.

A CRIAÇÃO DO SISTEMA DO FEDERAL RESERVE

A aprovação em 1913 da Lei do Federal Reserve, assinada por Woodrow Wilson, criou o Sistema do Federal Reserve. Ao contrário das tentativas anteriores do Banco Central, o Fed extraiu os pontos fortes de seus predecessores. Em vez de criar um único Banco Central, a Lei do Federal Reserve estabeleceu um sistema bancário público-privado descentralizado. O Fed não tem sede em um único local, mas em várias localidades em todos os Estados Unidos. O Federal Reserve não é uma instituição puramente governamental nem puramente privada. O Fed tem características de ambos.

O Fed é o banco do governo norte-americano. O Tesouro mantém suas contas com o governo do país e o governo, por sua vez, assina cheques de suas contas com o Fed. Os impostos recolhidos e o dinheiro emprestado por meio de emissões de títulos do governo são depositados na conta do Tesouro dos Estados Unidos com o Fed.

Cada vez que um contribuinte recebe um reembolso ou um beneficiário da Previdência Social recebe seu cheque, esses cheques são sacados da conta do Tesouro com o Fed.

Dinheiro na mão

A maior parte do dinheiro depositado no Federal Reserve existe na forma eletrônica, mas cada um dos bancos distritais tem um grande cofre com milhões de dólares sob forte segurança. Nos primeiros dias do Fed, o balcão dos caixas era protegido contra os ladrões por metralhadoras embutidas em pequenas casamatas.

O braço governamental do Sistema do Federal Reserve, o Conselho de Governadores, fica sediado em Washington, DC. Os governadores são nomeados pelo presidente dos Estados Unidos e confirmados pelo Senado para mandatos escalonados e únicos de 14 anos. O Conselho é supervisionado pelo presidente e vice-presidente do Fed, que também são membros do Conselho. O presidente e o vice-presidente são nomeados pelo presidente do país e confirmados pelo Senado para mandatos de quatro anos, sem limitações. O presidente do Fed é o rosto do Sistema do Federal Reserve e é considerado por muitos o segundo no poder atrás apenas do presidente, quando se trata de influência econômica. O Conselho de Governadores cria políticas e regulamentos para o sistema bancário do país, estabelece exigências de reservas e aprova alterações na taxa de desconto.

Em conformidade com a natureza federativa dos Estados Unidos, o Fed é subdividido em doze distritos geográficos distintos, com sede para cada distrito, localizada em cidades por todo o país. Cada distrito é uma parte igual do Sistema do Federal Reserve. Os bancos distritais atuam como bancos dos banqueiros e aceitam depósitos dos bancos membros. Os bancos distritais também desempenham um papel regulador em seu distrito, monitorando os bancos membros e fazendo cumprir os regulamentos dentro de seus respectivos distritos. Os bancos distritais têm um papel vital no processamento de cheques de papel e pagamentos eletrônicos para o sistema bancário. Por fim, os bancos distritais emitem a moeda para o sistema bancário, adquirido junto ao Departamento do Tesouro dos Estados Unidos.

O FOMC

O Federal Open Market Committee (FOMC) é o principal arquiteto da política monetária do país. Os doze membros votantes do comitê são constituídos pelo presidente do Fed, pelo Conselho de Governadores, pelo presidente do Federal Reserve Bank of New York e por quatro outros presidentes de bancos distritais que trabalham de forma rotativa, embora todos os presidentes de bancos distritais estejam presentes nas reuniões do comitê. O FOMC se reúne oito vezes por ano, ou cerca de uma vez a cada seis semanas, para avaliar o desempenho econômico e decidir o curso da política monetária, visando à taxa de fundos federais. As reuniões do FOMC são acompanhadas de perto pela imprensa e pelos mercados financeiros. Membros da mídia e investidores analisam cuidadosamente os comunicados de imprensa do FOMC, procurando pistas sobre qual poderia ser a futura direção da política.

Especulação sobre a maleta

Os investidores que tentam lucrar especulando sobre as políticas de taxa de juros do Banco Central estudaram o tamanho da maleta de Alan Greenspan durante seu mandato como presidente do Fed. Eles teorizaram que, se a maleta fosse grande e pesada, significava que ele estava carregando documentação em apoio ao seu argumento para mudar as taxas de juros. Se a maleta fosse leve, então as taxas de juros provavelmente permaneceriam inalteradas.

POLÍTICA MONETÁRIA
Deixe a condução para nós

O objetivo da política monetária é promover a estabilidade de preços, o pleno emprego e o crescimento econômico. O Banco Central, um monopolista em relação à oferta monetária, está em posição única para influenciar a demanda agregada na economia. A política dele afeta o excesso de reservas no sistema bancário, o que influencia diretamente a oferta de moeda, que, por sua vez, altera as taxas de juros. Essas mudanças nas taxas de juros geram mudanças da demanda agregada por meio de consumo, investimento e exportações líquidas. A mudança resultante na DA afeta o PIB, a inflação e o desemprego.

COMO O BANCO CENTRAL AFETA A ECONOMIA

O Federal Reserve influencia a economia aplicando pressão sobre as taxas de juros e falando ao público. No caso de crescimento econômico, o Banco Central pode alertar contra a inflação elevando ligeiramente as taxas de juros sempre que a economia pareça estar crescendo muito rapidamente. Durante os períodos de inflação, o Fed pode pisar fortemente no pedal de freio da taxa de juros, dar um aviso severo ao motorista e trazer a economia de volta ao controle.

No caso de recessão, o máximo que ele pode fazer é soltar o pedal de freio, ou diminuir as taxas de juros e incentivar o motorista a pisar no acelerador. O poder do Banco Central é assimétrico; ele é capaz de deter a inflação, mas capaz apenas de incentivar o pleno emprego.

Exigência de reservas
A exigência de reservas de um banco é a porcentagem dos saldos de conta-corrente que o banco não consegue emprestar. Se o Banco Central aumentar a exigência, os bancos terão menos reservas em excesso para emprestar. Isso reduziria a oferta monetária e resultaria em taxas de juros mais elevadas, desestimulando o investimento de capital e o consumo de bens duráveis. Essa diminuição do investimento e do consumo reduz a DA e conduz a um PIB real menor, a um desemprego maior e a uma redução na inflação. A redução da exigência de reservas tem exatamente o efeito oposto.

Desvantagens de alterar a exigência de reservas

O problema com a mudança da exigência de reservas é que ela é fácil de baixar, mas muito mais difícil de subir. Se o Banco Central diminui a exigência, os bancos conseguem emprestar mais de suas reservas e nenhum problema real é criado. No entanto, aumentar a exigência de reservas durante períodos de inflação seria quase impossível para os bancos, pois provavelmente eles não possuem excesso de reservas que já não estejam emprestadas. O aumento da exigência de reservas precipitaria uma imediata crise de liquidez no setor bancário. Os bancos cobrariam o reembolso dos empréstimos e fariam o que pudessem para atender à nova exigência maior.

Taxa de desconto

A taxa de desconto é a taxa de juros que os bancos membros pagam ao Banco Central, como o Fed, para emprestar dinheiro de um dia para o outro (*overnight*), geralmente quando estão com dificuldades financeiras. O aumento da taxa de desconto desestimula os empréstimos, mas sua redução os incentiva. Caso queira reduzir a inflação, o Fed aumenta a taxa de desconto. Ao fazer isso, a seguinte cadeia de eventos é posta em movimento: o Fed anuncia um aumento na taxa de desconto; os bancos são desestimulados a contrair empréstimos; diminui a probabilidade de os bancos emprestarem o excesso de reservas; a oferta monetária não cresce; as taxas de juros aumentam; consumo, investimento e exportações líquidas caem; a DA diminui; o PIB cai; o desemprego aumenta; e a inflação cai. A redução da taxa de desconto teria exatamente o efeito oposto.

Desvantagens de alterar a taxa de desconto

O problema com a taxa de desconto é que os bancos relutam em contrair empréstimos diretamente do Banco Central. A relutância vem do fato de que outras formas de empréstimo estão disponíveis a taxas mais baixas, de modo que ir ao balcão de desconto do Fed, por exemplo, é uma admissão pública de que algo está errado com o banco que solicita o empréstimo. Um banco em boa posição financeira normalmente pedirá dinheiro emprestado para cobrir suas necessidades de curto prazo no mercado de empréstimos interbancários. Os principais gestores de um banco não querem espantar investidores ou os atuais acionistas tomando empréstimos do Banco Central.

A taxa de desconto é útil como um sinal da política de taxas de juros futuras. Essa função de sinalização é importante, pois os mercados financeiros não gostam de surpresas.

Operações de mercado aberto

A principal maneira de o Banco Central pôr em prática a política monetária é através do processo conhecido como operações de mercado aberto (OMA). OMA é a compra e venda de títulos do Tesouro dos Estados Unidos (*Treasuries*) entre a mesa de mercado aberto do Federal Reserve Bank of New York e um grupo seleto de dezoito *dealers* primários de títulos. Os *dealers* incluem a maioria dos principais bancos do mundo e corretoras de valores mobiliários. Espera-se que eles participem como contrapartes das operações de mercado aberto do Fed e que compartilhem informações de mercado com ele. As transações OMA têm o efeito de aumentar o excesso de reservas no sistema bancário quando o Fed compra *Treasuries* dos *dealers* primários de títulos, ou reduzir o excesso de reservas no sistema bancário quando o Fed vende *Treasuries* aos *dealers* primários.

QUANDO AS POLÍTICAS COLIDEM: MISTURADOR FISCAL/MONETÁRIO

A política do Federal Reserve não existe em um vácuo político. Na verdade, a política monetária funciona paralelamente às políticas fiscais do governo. Às vezes elas estão em desacordo, mas na maior parte do tempo a política monetária é utilizada para acomodar a política fiscal. Para que isso funcione, o presidente do Fed e dos Estados Unidos, o secretário do Tesouro e os principais membros do Congresso se comunicam entre si para criar uma política coerente que atenda aos objetivos fundamentais da estabilidade de preços, do pleno emprego e do crescimento econômico.

O dinheiro fala mais alto

Política fiscal
O uso do orçamento federal para reduzir o desemprego ou estabilizar os preços.

Em períodos de recessão, a política fiscal expansionista é reforçada com uma política monetária expansionista. À medida que os gastos governamentais aumentam e os impostos diminuem, uma pressão de alta é aplicada sobre as taxas de juros. A política monetária expansionista compensa a pressão de alta sobre as taxas de juros expandindo a oferta monetária e reduzindo as taxas de juros de curto prazo.

Os períodos inflacionários são mais problemáticos para presidentes e legisladores. A prescrição de política fiscal contracionista exige a redução de gastos e o aumento dos impostos, que são politicamente impopulares. A política monetária contracionista é eficaz para deter a inflação, e o isolamento do Banco Central em relação à pressão política é perfeitamente adequado para a tarefa. O ex-presidente do Fed, Paul Volcker, foi considerado o responsável por derrubar a inflação quando o governo era incapaz de fazê-lo.

POLÍTICA MONETÁRIA NO CURTO E LONGO PRAZOS

A política monetária tem efeitos diferentes no curto e no longo prazos. Políticas monetárias expansionistas destinadas a reduzir as taxas de juros de curto prazo e incentivar o pleno emprego e o crescimento econômico acabam por levar a taxas de juros mais elevadas, uma vez que induzem a inflação. Assim, a política monetária deve ser cuidadosamente aplicada. Ao introduzir um estímulo monetário, o Banco Central também deve planejar a sua remoção para evitar a inflação futura. O problema para as autoridades monetárias está na sincronização da política. A remoção prematura desse estímulo pode resultar em uma recessão prolongada, mas manter as taxas de juros baixas por tempo demais certamente levará a uma inflação mais elevada.

Uma dependência exagerada da política monetária para reduzir a inflação também pode gerar problemas. Ao longo do ciclo econômico, se o governo utiliza a política fiscal expansionista para compensar as recessões e depois conta com o Banco Central para conter os períodos de inflação, as taxas de juros aumentarão e o crescimento econômico de longo prazo será frustrado. Em algum momento, o governo deve controlar seus gastos e/ou aumentar impostos para impedir que as taxas de juros de longo prazo subam demais.

ECONOMIA DO LADO DA OFERTA
A ascensão da economia vodu

Os concomitantemente elevados desemprego e inflação da década de 1970 representaram um período doloroso na história econômica norte-americana. A estagflação foi um choque para muitos políticos e economistas. Na década de 1970, o pensamento econômico keynesiano estava incorporado na mente da maioria dos formuladores de políticas. Embora Milton Friedman e Edmund Phelps tivessem publicamente refutado a ideia de que há um equilíbrio estável entre inflação e desemprego, as autoridades não estavam dispostas a abandonar a crença.

O índice de miséria

Arthur Okun desenvolveu um índice simples de dificuldades econômicas denominado índice de miséria. O índice de miséria é a soma da taxa de desemprego e da taxa de inflação. Em condições normais o índice de miséria é geralmente em torno de 7. Durante a administração Carter, o índice de miséria aumentou de forma constante por causa da estagflação e alcançou um máximo histórico de 20,76.

O sistema econômico keynesiano permeou tão profundamente as decisões de políticas na década de 1970 que os dados que contestavam a eficácia da economia keynesiana criaram dissonância cognitiva para muitos. Quando o desemprego é elevado, o governo deve gastar mais, e quando a inflação se torna um problema, o Fed deve apertar. A estagflação representou um problema intratável para muitos em posição de poder. Gastar para aliviar o desemprego só faria piorar a inflação. O aperto do Fed reduziria os empregos. As opções de políticas para aqueles influenciados por Keynes concentravam-se em aumentar ou diminuir a demanda agregada. O que fazer? A resposta oferecida por alguns foi se concentrar no lado da oferta do modelo de oferta agregada e demanda agregada.

Cunhando uma frase

Embora possa parecer que todas as coisas relacionadas com Keynes estejam associadas aos democratas e o lado da oferta com os republicanos, isso não é verdade. Grande parte da crítica da teoria econômica do lado da oferta partiu do principal oponente de Reagan nas primárias republicanas de 1980, George H. W. Bush, que se referiu ao plano econômico de Reagan como "economia vodu".

ECONOMIA DO LADO DA OFERTA

A estagflação era fundamentalmente um problema de oferta, razão pela qual uma solução do lado da demanda não funcionaria. A abordagem do *laissez-faire* da economia clássica passou por algo parecido a um renascimento após a eleição de Ronald Reagan. Na visão clássica da economia, mercados flexíveis e eficientes asseguram que a economia manterá o pleno emprego. Quando ocorrem recessões ou períodos de inflação, os preços flexíveis dos insumos fazem com que a oferta agregada aumente ou diminua e trazem a economia de volta ao pleno emprego sem a intervenção do governo. Nos anos entre as décadas de 1930 e 1970, houve uma diminuição na flexibilidade e eficiência do mercado de trabalho. O argumento do lado da oferta era de que o governo havia interferido demais no funcionamento do sistema e que deveriam ser retiradas as ações keynesianas sobre os mercados.

A desregulamentação, iniciada sob a presidência de Carter, aumentou muito com Ronald Reagan. As companhias aéreas, que no passado haviam sido fortemente regulamentadas pelo governo, foram liberadas e forçadas a competir entre si. Isso resultou em muito mais voos a preços mais baratos. Significou também que as companhias aéreas menos eficientes foram eliminadas dos negócios.

Os sindicatos trabalhistas passaram por um declínio de seu poder sob a administração Reagan. A concorrência externa na indústria siderúrgica e automobilística enfraqueceu a posição dos sindicatos. Provavelmente, o símbolo mais forte da perda de poder dos sindicatos veio da atitude tomada pelo presidente recém-eleito. O sindicato dos controladores de tráfego aéreo pressionou por melhores salários e condições de trabalho. Em 1981, o sindicato entrou em greve em violação da lei federal. Depois de terem sido avisados sobre a opção de retornar ao trabalho ou enfrentar a demissão, mais de 11 mil controladores de tráfego aéreo se recusaram a voltar e foram sumariamente demitidos pelo presidente Ronald Reagan. A mensagem foi clara.

Durante as eleições, Reagan promoveu a ideia de que cortes de impostos sobre os assalariados de alta renda enriqueceriam todos os norte-americanos, pois as pessoas teriam mais incentivos para gastar e poupar. Os gastos e a poupança gerariam não só mais consumo, como também mais investimentos de capital. À medida que o investimento aumenta, as empresas expandem sua capacidade produtiva e isso gera mais empregos. O aumento resultante no capital também leva a maior produtividade e, no final, a redução nos preços.

O poder dos cortes de impostos para estimular a demanda agregada era bem conhecido pelos economistas keynesianos. No entanto, a visão pelo lado da oferta era de que os cortes de impostos estimulariam não apenas a demanda agregada, como também a oferta. Ao mesmo tempo que propunha cortes de impostos, Reagan também pedia um aumento nos gastos de defesa para conter a ameaça soviética. Economistas, políticos e pessoas comuns questionaram a ideia de simultaneamente cortar impostos e aumentar os gastos do governo. Parecia óbvio que essa combinação de políticas resultaria em grandes déficits para o governo federal, pois ele gastaria mais e arrecadaria menos impostos.

QUESTIONAMENTOS DA ECONOMIA DO LADO DA OFERTA

Às vezes, a realidade arruína uma grande ideia. Reagan conseguiu seus cortes de impostos e obteve seus aumentos nos gastos de defesa, mas também teve déficits enormes. O aumento da arrecadação fiscal não se materializou. Pelo contrário, as receitas de impostos caíram drasticamente, e os déficits orçamentários do governo aumentaram continuamente durante a administração Reagan.

Uma crítica da economia do lado da oferta é de que ela efetivamente acabou redistribuindo a renda para os ricos. Como o mantra da economia do lado da oferta é "cortes de impostos sobre a renda e os ganhos de capital", é lógico que os beneficiários imediatos seriam aqueles com renda significativa.

Embora a economia do lado da oferta não seja mais muito mencionada, seus argumentos e lógica ainda fazem parte das plataformas políticas republicanas e libertárias. Cortar impostos, criar incentivos para as pessoas pouparem e investirem e uma desconfiança geral do envolvimento do governo na economia são ideias do lado da oferta que ainda atraem muitos eleitores. Os democratas tendem a promover uma agenda mais populista. Cortes de impostos para a classe média com aumentos de impostos para os ricos, aumento da regulamentação dos negócios e utilização de transferências sociais para redistribuir renda são ideias apresentadas pelos democratas e estão associadas, para o bem ou para o mal, com os keynesianos.

UMA CAIXA DE FERRAMENTAS COMPLETA

Embora a economia do lado da oferta como um campo de estudo seja ridicularizada pela maioria dos principais economistas, serviu para lembrar às pessoas que os incentivos são importantes. As autoridades devem considerar não apenas o que os eleitores querem, mas também como suas políticas moldam os incentivos dos consumidores e produtores. Sempre que criar um novo encargo que vise regulamentar o comportamento econômico, o governo também deve estar preparado para lidar com as consequências inesperadas que ocorrem quando o novo encargo altera os incentivos de indivíduos e instituições.

Ignorar o lado da oferta da economia leva a uma abordagem unilateral dos formuladores de políticas que, em última análise, deixa ao governo somente duas opções: aumentar ou diminuir a demanda agregada. Ao reconhecer o papel da oferta agregada, as autoridades podem promover mais soluções políticas para alcançar seus objetivos econômicos finais. Por exemplo, reconhecer que um corte de impostos sobre o rendimento pessoal tem efeitos do lado da demanda e da oferta permite que os políticos vendam a opção aos seus diversos grupos de apoio.

CRESCIMENTO ECONÔMICO
A construção de uma sociedade melhor

No estudo de Jared Diamond sobre a história humana, *Armas, germes e aço*, ele fala sobre a questão que o levou a estudar o curso dos eventos humanos. Como um ávido observador de pássaros, Diamond fez muitas viagens à Nova Guiné, onde fez amizade com um homem chamado Yali. Yali perguntou à Diamond por que os descendentes europeus tinham tanto, enquanto o povo da Nova Guiné tinha tão pouco. O fascinante relato de Diamond sobre as forças que moldaram a história humana e a distribuição de renda é uma ótima leitura. No entanto, para um economista, o crescimento econômico é descrito de forma mais simples: trata-se meramente de um aumento no PIB.

O QUE SIGNIFICA CRESCIMENTO

O crescimento econômico ocorre quando há um aumento sustentado no produto interno bruto real *per capita* de um país ao longo do tempo. Na maioria dos anos, o PIB real dos Estados Unidos cresce a uma taxa de aproximadamente 2%. Isso significa que, em média, a economia duplica de tamanho a cada 36 anos. Ao mesmo tempo, a população aumenta a uma taxa de 1%, o que significa que o PIB real per capita atual é quase três vezes maior do que em 1960. O crescimento econômico não é garantido. Na verdade, há anos em que não ocorre crescimento ou ele é negativo. Esses períodos estão associados à recessão.

O crescimento revela-se de forma positiva e negativa. O crescimento econômico gera aumentos no padrão de vida, nutrição, saúde, longevidade e abundância material. A desvantagem é que o crescimento econômico muitas vezes resulta em destruição do meio ambiente e maior desigualdade de renda. O crescimento econômico como uma meta para a sociedade é fortemente debatido, e ambos os lados oferecem justificativas bem fundamentadas para suas posições.

POR QUE CRESCER?

Os defensores do crescimento econômico realçam os benefícios que ele cria para a sociedade. Os avanços na produção de alimentos, saúde, longevidade e abundância material não seriam possíveis sem o crescimento econômico. Um século atrás, a maioria dos norte-americanos estava envolvida com a produção agrícola, e mesmo assim subsistia com bem menos calorias do que os norte-americanos hoje, dos quais menos de 2% são agricultores. A expectativa média de vida aumentou de 48 para 78 anos no mesmo período, devido à erradicação de muitas doenças e a avanços no saneamento básico e nos cuidados de saúde. A qualidade e a quantidade de bens materiais também aumentaram, permitindo que mais norte-americanos tivessem acesso às coisas que somente os ricos podiam adquirir em gerações anteriores. A semana de trabalho média diminuiu no mesmo período de tempo, permitindo mais lazer às pessoas. Para a maioria, o crescimento econômico tem sido uma bênção.

Dinheiro e felicidade

O dinheiro pode comprar a felicidade? Quando os economistas comparam o PIB per capita com o nível geral de felicidade de um país, ocorre uma tendência interessante. À medida que o PIB per capita aumenta de 0 para 10 mil dólares, o nível de felicidade aumenta. Essa relação se rompe depois disso. Assim, respondendo à pergunta, os primeiros 10 mil dólares efetivamente compram a felicidade. Acima disso, quem sabe?

À medida que a economia cresce e se diversifica, cada vez mais pessoas conseguem escapar da agricultura de subsistência e buscar outras áreas de interesse. Essa liberdade para que a maioria das pessoas busque seu interesse e sua paixão não existiu na maior parte da história. A explosão criativa da produção que ocorreu nos últimos 150 anos tem gerado avanços em todos os campos do empreendimento humano. Onde a vida era desagradável, brutal e curta para a maioria, agora é relativamente humana, pacífica e longa. Se você já visitou um cemitério antigo, deve ter notado a quantidade de túmulos de crianças pequenas. O que antes era um acontecimento comum, agora é uma tragédia rara. As doenças que devastaram a população há menos de um século estão, em sua maioria, erradicadas. Tudo isso foi possível devido ao crescimento econômico.

Abundância material e crescimento econômico

A abundância material é um benefício do crescimento e é muitas vezes considerada pelos críticos a força motriz por trás da política de crescimento. Eles podem estar certos, mas, se o crescimento produz benefícios substantivos para a humanidade, um iPod extra ou uma casa por pura ostentação também terão um preço a pagar. A abundância material é um resultado natural de seres humanos libertos da agricultura de subsistência para pensar, inventar e criar. E mesmo para aqueles que optam por retornar à terra e à agricultura, essa liberdade também existe.

À medida que as pessoas se tornaram mais especializadas e mais produtivas, seu valor para a sociedade também aumentou. Considere a quantidade de tempo e recursos agora dedicados a criar uma criança norte-americana. A criança norte-americana média tem mais de 250 mil dólares investidos em seu capital humano. As organizações de ajuda entendem que aumentar o valor de um indivíduo para a sociedade é importante para o desenvolvimento de uma sociedade estável e produtiva. As organizações que prestam assistência alimentar no mundo em desenvolvimento descobriram que a entrega de rações alimentares às filhas nas escolas aumenta o valor da filha para a família, o que reduz a incidência de gravidez na infância e a prostituição.

CONDIÇÕES PARA O CRESCIMENTO ECONÔMICO
Plantar as sementes da produção

O crescimento econômico não acontece por si só. Ele requer uma quantidade de elementos diferentes para a sua ocorrência. Alguns destes são óbvios: pessoas para fabricar os produtos e recursos com os quais possam ser fabricados os produtos. Contudo, outros são menos óbvios. Considere os países em que as leis não são aplicadas de forma equitativa. Pode ocorrer um crescimento econômico sustentável?

CAPITAL HUMANO

O elemento mais importante no crescimento econômico é o capital humano. O capital humano é constituído por educação, habilidades e capacidades possuídas por um indivíduo. Os países que investem pesadamente em capital humano costumam ter maior crescimento econômico do que os países igualmente dotados que não o fazem. Os Estados Unidos são um dos líderes mundiais no desenvolvimento do capital humano. O ensino fundamental e médio obrigatórios, as vacinações obrigatórias e a nutrição abundante têm contribuído para fazer dos Estados Unidos a nação mais produtiva do mundo. Nenhum país gasta mais em educação e desenvolvimento do capital humano do que os Estados Unidos.

A liberdade individual e a capacidade de adquirir propriedade privada também são elementos essenciais no desenvolvimento do capital humano. Quando os indivíduos são livres para escolher sua vocação e desfrutar dos benefícios da propriedade privada, sua produtividade é maior do que em lugares onde a liberdade individual ou a propriedade privada não é valorizada. A título de comparação, o alemão médio era bem mais produtivo na Alemanha Ocidental capitalista do que na Alemanha Oriental comunista, e o sul-coreano médio de hoje é muito mais produtivo do que o norte-coreano médio, pois a liberdade econômica proporciona o incentivo para produzir mais a fim de possuir mais.

Crescimento populacional e crescimento econômico

Para ter capital humano, você precisa ter seres humanos. Para as economias se desenvolverem e crescerem, é importante que a população também cresça. O crescimento da população deve também ocorrer paralelamente ao crescimento da produtividade. Populações maiores conseguem produzir mais e ter mais inovações porque quanto maior a população, maior a quantidade de recursos produtivos. Quanto mais pessoas um país tem, maior o número de prováveis empreendedores. E os empreendedores são um dos motores do crescimento econômico.

A presença de imensos recursos naturais pode às vezes ser um impedimento para o desenvolvimento do capital humano. O paradoxo da riqueza dos recursos naturais é que os governos ficam muitas vezes tão ansiosos para explorar seus recursos naturais para exportação que se esquecem de investir no capital humano de sua população. À primeira vista, uma comparação entre a Rússia e o Japão levaria muitos observadores a acreditar que a Rússia é bem mais rica que o Japão. Afinal, tem os maiores depósitos de minerais e riquezas naturais do mundo. O Japão, por sua vez, tem poucos recursos naturais. No entanto, o Japão tem desfrutado de um crescimento econômico muito maior, pois investe muito mais em seu capital humano.

CAPITAL FÍSICO

Desenvolver o capital humano por si só não é suficiente para gerar crescimento econômico. As economias também devem investir no desenvolvimento de capital físico. O capital físico é constituído por ferramentas, fábricas e equipamentos utilizados no processo de produção. À medida que o estoque de capital físico aumenta, a nação experimenta o aprofundamento do capital. O aprofundamento do capital refere-se à quantidade de capital disponível para cada trabalhador. O aprofundamento do capital proporciona uma força de trabalho mais produtiva. O trabalhador médio norte-americano é apoiado por 130 mil dólares de capital físico. Este é um dos motivos para a vantagem dos Estados Unidos em termos de produtividade.

Capital humano *versus* capital físico

Parte do capital substitui o trabalho, enquanto outra parte o reforça. Um robô que solda carrocerias de automóveis substitui trabalhadores, mas um martelo pneumático os reforça e substitui. Um trabalhador com um martelo pneumático pode fazer o trabalho de vários trabalhadores armados com marretas. Independentemente de reforçar ou substituir, o capital leva a maior produtividade.

Como o capital físico é o resultado do investimento, as taxas de juros desempenham papel fundamental em seu desenvolvimento. Taxas de juros baixas e estáveis incentivam o investimento. No curto prazo, o investimento gera um aumento na demanda agregada, mas no longo prazo expande o estoque de capital da economia. Taxas de juros elevadas ou instáveis são prejudiciais às decisões de investimento e resultam na formação de menos capital.

Uma vez implantado, o capital precisa ser mantido. O capital necessita de infraestrutura adequada para realizar seu potencial. Estradas, vias navegáveis, sistemas ferroviários e sistemas de serviços públicos confiáveis facilitam o acesso ao capital e melhoram muito a probabilidade de que ele seja usado de forma eficaz. Uma das deficiências da União Soviética era o uso ineficaz do capital. Os soviéticos construíram fábricas que superavam suas equivalentes ocidentais. No entanto, devido à infraestrutura inadequada, muitas vezes era difícil chegar até elas. Isso tornou a distribuição de seus produtos mais difícil. O mundo em desenvolvimento tem uma carência de fontes de energia confiáveis e redes de transporte necessárias para o uso eficiente das fábricas. Em comparação, a Europa, o Japão e os Estados Unidos dispõem de uma infraestrutura ampla para facilitar o uso e o transporte contínuos da produção do capital.

PESQUISA E DESENVOLVIMENTO

Criatividade, inovação e invenção são necessárias para a continuidade do crescimento econômico. As empresas ocidentais e japonesas gastam muito mais em pesquisa e desenvolvimento do que as empresas no mundo em desenvolvimento. Pesquisa e desenvolvimento exigem sacrificar os lucros atuais a fim de ganhar lucros ainda maiores no futuro. Para as empresas assumirem esse risco, os incentivos devem existir e ser protegidos. As patentes, que fornecem proteção legal para os inventores, proporcionam a proteção de que as empresas necessitam para realizar os lucros de sua pesquisa e desenvolvimento.

Para continuar com o crescimento econômico, os países em desenvolvimento precisam encontrar maneiras de incentivar a inovação. O crescimento impressionante da China ao longo dos últimos quinze anos vem principalmente da produção de bens desenvolvidos em outros lugares. Embora a China tenha muitas pessoas capazes, inteligentes e inovadoras, as leis do país não protegem adequadamente a propriedade intelectual. Existe muito pouco incentivo para os fabricantes chineses gastarem dinheiro em pesquisa e desenvolvimento de novos produtos, pois a fábrica ao lado pode simplesmente copiá-los e produzi-los sem gastar o dinheiro de pesquisa. Com o tempo, espera-se que a China dê os passos necessários para a proteção da propriedade intelectual de seus fabricantes.

O ESTADO DE DIREITO

Outra condição para o crescimento é o Estado de Direito. Os funcionários do governo devem obedecer à lei e também devem aplicar a lei de modo uniforme e justo. A corrupção e o nepotismo desestimulam o investimento interno e externo, pois efetivamente elevam o custo do capital. Empresas, indivíduos e investidores estrangeiros precisam saber que sua propriedade é protegida por lei. Um motivo para faltar investimento de capital nos países em desenvolvimento decorre do fato de que governos corruptos são mais propensos a confiscar a propriedade privada em nome dos interesses nacionais. O confisco de campos petrolíferos de propriedade estrangeira na Venezuela em 2007 muito provavelmente desencoraja o futuro investimento estrangeiro naquele país. Ao contrário da Venezuela, antigas colônias britânicas como Estados Unidos, Canadá, Austrália, Nova Zelândia e Hong Kong herdaram o direito comum inglês com sua ênfase na propriedade privada, o que os torna seguros e atraentes para os investidores estrangeiros. Os proprietários estrangeiros de capital têm basicamente os mesmos direitos que os investidores nacionais. Consequentemente, mais capital se acumula nesses países do que na maioria dos outros.

COMO A POLÍTICA ECONÔMICA AFETA O CRESCIMENTO

O governo se envolve

As políticas governamentais também desempenham um papel na determinação do crescimento econômico. As políticas de estabilização do Banco Central afetam as taxas de juros e, portanto, o investimento de capital. A política fiscal afeta indiretamente o investimento de capital pelo efeito da dívida pública sobre as taxas de juros. As políticas fiscais que afetam as decisões de consumo e poupança influenciam o crescimento econômico através de seu impacto nas taxas de juros e incentivos ao trabalho.

POLÍTICA DE TAXA DE JUROS

O Banco Central promove o crescimento econômico quando mantém uma política de taxa de juros previsível e estável. Embora a política monetária afete principalmente as taxas de juros de curto prazo, é o efeito do banco sobre as taxas de juros de longo prazo que influencia o crescimento. Se não tiverem certeza das taxas de juros futuras e da inflação, é improvável que as empresas façam investimento de longo prazo em capital. Para evitar a incerteza, o Banco Central deve manter um controle firme sobre a inflação atual e *esperada*. A postura política do Banco Central durante uma recessão é buscar uma taxa dos fundos federais mais baixa para incentivar os empréstimos. No entanto, se ele mantém taxas de juros muito baixas por muito tempo, é mais provável que haja inflação futura. Essa inflação esperada e o aumento das taxas de juros de longo prazo desestimularão o investimento de capital e, em última instância, o crescimento econômico de longo prazo. Os aumentos de curto prazo nas taxas de juros para amortecer a inflação podem não agradar os investidores, mas, como os aumentos reduzem a inflação esperada, eles ajudam a manter as taxas de juros de longo prazo baixas e estáveis. E taxas de juros de longo prazo baixas e estáveis incentivam o investimento de capital.

Reforma do mercado no Chile

Um grupo de economistas chilenos conhecidos como Chicago Boys, que estudaram com Milton Friedman na Universidade de Chicago, foram fundamentais para trazer a reforma do mercado ao país sob a ditadura de Augusto Pinochet. As reformas que eles introduziram ajudaram a deter a inflação e tornaram o Chile uma das economias de mais rápido crescimento na América do Sul. Infelizmente, a associação com o ditador deu aos economistas de mercado uma má fama no resto do continente.

A política fiscal que não leva a um orçamento equilibrado afeta as taxas de juros de longo prazo e o investimento de capital. Os déficits orçamentários, na ausência de entrada de capital ou de aumento da poupança doméstica, levam a taxas de juros de longo prazo mais elevadas e dificultam o investimento em capital. Se as entradas de capital ou a poupança doméstica forem suficientes para compensar os empréstimos do governo, o efeito do déficit em termos de taxa de juros é anulado. Independentemente dos efeitos imediatos na taxa de juros, os déficits orçamentários, caso sejam suficientemente grandes, geram incerteza e podem efetivamente desencorajar o investimento. A presença de superávits orçamentários reduz as taxas de juros de longo prazo e incentiva o investimento de capital.

POLÍTICA FISCAL

As mudanças na política fiscal afetam os negócios e provavelmente também a taxa de crescimento econômico. O aumento da carga tributária sobre as empresas reduz sua capacidade e seu incentivo para investir em capital. Aumentar o imposto sobre ganhos de capital de investidores financeiros reduz o fluxo da poupança que as empresas utilizam para fazer investimentos reais em capital físico. As empresas submetidas a uma carga tributária muito elevada podem optar por produzir em outros lugares. É importante entender que o capital é livre para fluir. Aplicar impostos sobre as empresas, embora politicamente popular, é uma receita para um crescimento reduzido.

O dinheiro fala mais alto

Imposto fixo

O imposto fixo é aquele que tributa todas as famílias com a mesma taxa, independentemente do nível de renda. Dado um imposto fixo de 15%, uma família que ganha 40 mil reais pagaria 6 mil reais em impostos, enquanto uma família que ganha 100 mil reais pagaria 15 mil reais em impostos. A vantagem de um imposto fixo é sua simplicidade. A desvantagem é que para muitas famílias um imposto fixo representaria um aumento em sua carga tributária. Embora muitos estejam na faixa de imposto marginal entre 20% e 30%, suas taxas médias de imposto são muito menores devido às isenções, deduções e ao fato de que a alíquota marginal é apenas sobre o rendimento incremental e não sobre o rendimento total.

Os impostos sobre a renda pessoal afetam os incentivos ao trabalho e, portanto, também podem influenciar a taxa de crescimento. Nos Estados Unidos, quanto maior a sua produtividade, mais renda você ganha. Quanto mais renda você ganha, maior a sua taxa de imposto marginal. Isso é o que os economistas chamam de sistema tributário progressivo. Se as taxas de impostos são aumentadas sobre os rendimentos superiores, elas aumentam a carga tributária sobre os membros mais produtivos da sociedade. Embora as taxas de impostos norte-americanos sejam muito mais baixas do que na Europa, dada uma taxa de imposto suficientemente elevada, o trabalhador produtivo reduzirá a produtividade ou se mudará para onde a produtividade não é tributada com uma taxa tão alta. Até agora, os Estados Unidos têm sido os beneficiários das altas taxas de impostos da Europa. A Europa sofreu uma fuga de cérebros, pois os melhores e mais brilhantes, e, portanto, os tributados com as taxas mais elevadas, mudaram-se para países com taxas tributárias mais baixas.

Segundo a Organização para a Cooperação e Desenvolvimento Econômico (OCDE), a fuga de cérebros é grave o suficiente para que os países europeus estabeleçam programas governamentais para incentivar os expatriados a migrar de volta. Talvez eles devessem tentar um corte de impostos. A perda da Europa é o ganho dos Estados Unidos, pois o capital humano tem aumentado constantemente no país.

AS DESVANTAGENS DO CRESCIMENTO ECONÔMICO

O crescimento econômico também tem suas desvantagens e seus detratores. O crescimento econômico tem levado a um aumento da desigualdade de renda, que, se ignorado, ameaça a continuidade do crescimento econômico. Ao longo dos últimos 50 anos, a desigualdade de renda nos Estados Unidos aumentou por uma série de motivos. A perda do poder sindical, a redução das taxas marginais de impostos, a concorrência externa e a meritocracia são algumas das razões frequentemente citadas. A sindicalização tem diminuído constantemente desde a década de 1980 e, como resultado, os trabalhadores perderam força nas negociações salariais. Esse declínio ocorreu por causa de mudanças estruturais na economia e de o governo ter assumido um papel mais contencioso com os sindicatos. A redução nas taxas marginais de impostos também aumentou a diferença entre os assalariados de baixa e alta renda.

De acordo com o Census Bureau, no período de 1980 a 2008, o quintil inferior das famílias teve pouca ou nenhuma mudança na renda familiar média, enquanto o topo teve um aumento constante da renda. A globalização contribuiu para a desigualdade de renda. Grande parte da produção não qualificada dos Estados Unidos mudou-se para o exterior, deixando os norte-americanos de baixa qualificação em empregos do setor de serviços com baixa remuneração. Outra teoria que tenta explicar o aumento da desigualdade de renda tem a ver com o desenvolvimento de uma meritocracia.

Em uma meritocracia, o melhor e mais brilhante se casa com a melhor e mais brilhante e geram mais filhos considerados melhores e mais brilhantes, deixando os não tão melhores e não tão brilhantes para trás comendo a poeira.

Para que o crescimento econômico continue, os ganhos devem ser distribuídos de forma mais uniforme entre a população. Se isso é justo ou não é irrelevante. Os Estados Unidos praticam tanto o capitalismo como a democracia. Os membros mais produtivos da sociedade são recompensados pelo capitalismo, enquanto os membros menos produtivos ou menos qualificados da sociedade veem sua renda estagnada. Esse fato não se enquadra bem com a democracia e cria uma oportunidade para uma solução política. Embora nem todos os norte-americanos recebam os benefícios diretos do capitalismo, eles efetivamente são donos de um voto. Portanto, aqueles que ficam na extremidade inferior dos benefícios com o capitalismo devem exercer o seu direito de votar e mudar a equação. A redistribuição da renda é um fato da vida em uma sociedade com sufrágio universal. Os defensores do crescimento econômico devem estar preparados para compartilhar os ganhos auferidos com aqueles que podem não ter obtido a sua parte.

A GRANDE DEPRESSÃO ENCONTRA A GRANDE RECESSÃO

A história se repete, mais ou menos

Antes de 2007, você já tinha ouvido falar de hipotecas *subprime*, CDOs ou *swaps* de risco de não cumprimento (*credit default swaps*)? Em 2007, possivelmente começou a pior crise financeira na história dos Estados Unidos. Durante 2008 e 2009 a crise financeira tornou-se uma recessão global. A escala da crise financeira e econômica é medida em dezenas de trilhões de dólares. Enquanto você lê este livro, a economia lentamente começa a se recuperar, mas ninguém tem certeza se a recuperação será mantida.

LIGAÇÕES COM A GRANDE DEPRESSÃO

Certamente você não pode falar sobre a Grande Recessão sem falar primeiro sobre a Grande Depressão, outro desastre econômico que afetou o país por anos. Você deve se recordar de que os preços das ações começaram a cair no outono de 1929 e, então, entraram em colapso em 29 de outubro daquele ano, um dia conhecido como a Terça-feira Negra. Ao longo dos dez anos seguintes, a renda pessoal caiu fortemente, o investimento paralisou, o desemprego atingiu um pico de 25% e o comércio internacional despencou.

Infelizmente, o Fed, que foi criado após uma crise bancária anterior (o pânico de 1907), foi posto à prova durante a Grande Depressão, e não conseguiu fornecer a liquidez necessária para conter outro pânico bancário sistêmico. Os críticos do Fed colocam grande parte da culpa pela severidade da depressão sobre o próprio Banco Central. O consenso geral é de que o Fed restringiu o fluxo de crédito quando deveria ter inundado o sistema com crédito barato.

Depois do colapso do mercado acionário em 1929 e da crise financeira e econômica que se seguiu, o Congresso aprovou a Lei Glass-Steagall de 1933, que criou a Corporação Federal de Seguro de Depósito (Federal Deposit Insurance Corporation – FDIC) para garantir depósitos bancários e evitar futuras corridas aos bancos.

A Glass-Steagall também proibiu os bancos comerciais de se envolverem na maioria das atividades de investimento. A Lei Bank Holding Company proibiu os bancos de subscrever seguros, reforçando ainda mais a Glass-Steagall. As regulamentações bancárias tiveram o efeito de restaurar a confiança no setor. Essa confiança durou apenas cerca de 75 anos.

A ESCALADA PARA O COLAPSO

A Grande Recessão, como muitas vezes é chamada, teve seu início no século XX durante um período de desregulamentação e de crescente inovação financeira. A Lei Glass-Steagall da época da Depressão, que funcionou como uma barreira entre bancos comerciais e bancos de investimento, foi revogada e um novo setor bancário paralelo foi criado. Ao mesmo tempo, o Fed e os reguladores governamentais passaram cada vez mais a confiar que as empresas se regulamentariam a si próprias, acreditando que as forças de mercado levariam à execução de boas práticas. Enquanto tudo isso acontecia, o mercado de ações estava em alta, gerando um excesso de confiança por parte dos investidores.

Expectativas e realidade

As expectativas dos consumidores e produtores são forças importantes na economia. As expectativas positivas tendem a impulsionar a atividade econômica, enquanto as negativas tendem a calá-la. O presidente dos Estados Unidos e o do Fed são uma espécie de líderes de torcida pelo otimismo econômico, ao mesmo tempo que são sérios formuladores de políticas.

Em 11 de setembro de 2001, terroristas sequestraram aviões civis e voaram de encontro ao World Trade Center e ao Pentágono, enquanto outro avião caía em um campo da Pensilvânia. O impacto dos ataques terroristas criou medo no mercado de ações, que naquele momento estava recuando. Esse medo ajudou a enviar os Estados Unidos para uma recessão superficial em 2001 e 2002. O Federal Reserve reagiu imediatamente reduzindo a taxa dos fundos federais e injetando grandes quantidades de dinheiro no sistema bancário.

Essas injeções, junto com os cortes de impostos de Bush, duas guerras e um setor financeiro desregulamentado, levaram a um excesso de dinheiro, que gerou um *boom* no investimento imobiliário residencial e comercial. Grande parte das despesas que ocorreram de 2002 a 2005 foi alimentada por empréstimos hipotecários a taxas de juros historicamente baixas. Bancos desregulamentados adicionaram combustível ao fogo liberando dinheiro para praticamente qualquer um que aparecesse pedindo um empréstimo. Os consumidores entraram em uma farra de gastos com cartão de crédito, pois o mercado imobiliário em expansão criou um efeito de riqueza. As taxas de juros que em outras condições deveriam ter subido, estavam anormalmente baixas, pois a China, o Japão e os países produtores de petróleo continuavam a aplicar grandes somas de dinheiro no país. Além disso, a fé na capacidade do Banco Central de combater a inflação manteve os temores inflacionários a distância. Os setores privado, público, financeiro e externo ajudaram, em conjunto, a criar as condições para o desastre.

Bolhas de preços de ativos

As bolhas de preços de ativos ocorrem quando o crédito fácil flui para determinada classe de ativos, como ações, imóveis ou *commodities*. Os metais preciosos estão sendo negociados atualmente com os preços mais altos de todos os tempos e podem se constituir na próxima bolha a estourar. Há um debate entre os economistas sobre se os responsáveis pelos bancos centrais devem aumentar as taxas de juros para conter as bolhas de ativos ou permitir que elas sigam o seu curso natural.

Em 2006, o superaquecido mercado imobiliário começou a desacelerar. Investidores experientes logo começaram a se afastar dos imóveis e a colocar dinheiro em *commodities* como petróleo e metais preciosos. Em 2007, o mercado imobiliário entrou em plena queda livre, enquanto os preços do petróleo dispararam. Essa combinação de eventos fez com que a festa de gastos desse uma parada, pois os consumidores viram sua riqueza diminuir ao mesmo tempo que os preços altamente visíveis da energia e dos alimentos subiam. Os investidores imobiliários e, no final, os proprietários começaram a se afastar das propriedades que agora valiam menos do que o saldo da hipoteca ou hipotecas. Murmúrios de estagflação eram ouvidos na mídia. Eles estavam errados.

SECURITIZAÇÃO

Um dos culpados da escalada para o colapso foi uma inovação financeira chamada securitização. Tradicionalmente, os bancos faziam empréstimos a clientes, lançavam o empréstimo em seu balanço patrimonial e lucravam com juros e comissões. Isso dava aos bancos um forte incentivo para avaliar cuidadosamente o risco de inadimplência do tomador de empréstimo. Com a inovação financeira e os acionistas ávidos por retornos cada vez maiores, uma pressão crescente foi colocada sobre os bancos para aumentar os lucros expandindo sua atividade de crédito. Os bancos passaram a ter esses lucros cobrando comissões para gerar empréstimos, que depois eram vendidos a bancos de investimento. Os bancos de investimento agrupavam os empréstimos em pacotes e os revendiam como um tipo de título chamado obrigação de dívida colateralizada (*collateralized debt obligation* – CDO).

Problemas da relação principal-agente

Um problema principal-agente ocorre quando os incentivos de uma parte entram em conflito com a parte que é representada. No caso dos CDOs, os investidores contavam com os bancos para cuidadosamente garantir os empréstimos que foram emitidos. Entretanto, como não estavam mais na cadeia de risco, se os empréstimos não fossem pagos, os bancos tinham poucos incentivos para serem cuidadosos ao avaliar o risco de inadimplência de um mutuário.

Os CDOs eram vendidos para investidores institucionais, companhias de seguros, outros bancos e fundos de hedge. Os investidores acreditavam que os CDOs eram um investimento basicamente sólido, pois os mutuários geralmente pagam suas hipotecas, e, se não pagarem, a propriedade é usada como garantia. A popularidade dos CDOs ampliou-se, o que aumentou o tamanho do mercado. A crescente popularidade significou que os bancos podiam emprestar cada vez mais, pois havia um mercado ávido por seus empréstimos. Os bancos competiam pelos clientes, oferecendo taxas de juros cada vez mais baixas e relaxando seus padrões de crédito. Isso levou a mais empréstimos oferecidos, e os preços dos imóveis continuaram a subir. Isso, por sua vez, reforçou o mercado por CDOs, e um círculo vicioso foi criado, que no final acabou entrando em colapso.

O COLAPSO DOS BANCOS DE INVESTIMENTO

O estouro da bolha

Muitos dos investidores institucionais, bancos e fundos de pensão têm políticas conservadoras de investimento que limitam os tipos de investimentos que podem fazer. Esses investidores contam com agências de classificação de risco como a Moody's e a Standard & Poor's para determinar o nível de risco geral de um investimento. Muitos só podem investir em títulos com classificação AAA ou AA+. Essas são as classificações mais altas e normalmente indicam que o investimento é extremamente seguro. Muitos dos CDOs que os investidores compraram tinham essas classificações máximas.

GESTÃO DE RISCOS E *CREDIT DEFAULT SWAPS*

O problema subjacente era que as agências de risco estavam classificando apenas a camada superior do CDO. Os CDOs são divididos em tranches, ou fatias, com empréstimos seguros e de alta qualidade na tranche superior e empréstimos de menor qualidade nas tranches inferiores. Os CDOs eram empacotados dessa maneira para produzirem retornos maiores aos investidores. As tranches inferiores de maior risco pagavam taxas de juros mais altas, o que fazia com que todo o CDO tivesse um rendimento maior do que um CDO composto apenas de hipotecas de alta qualidade.

O problema da relação principal-agente ataca novamente

Mais uma vez estava ocorrendo um problema principal-agente. As agências de classificação de risco ganham comissões das instituições que comercializam os CDOs, de modo que têm um incentivo para conceder classificações elevadas aos produtos de seus clientes. Os investidores institucionais investem dinheiro de outras pessoas, de modo que desde que estejam seguindo o protocolo e comprando títulos de classificação elevada, eles têm pouco incentivo para fazer algo diferente do que maximizar o retorno para seus clientes.

Para adoçar o negócio, alguns bancos de investimento que comercializavam CDOs para investidores venderam um tipo de seguro chamado *credit default swap* (CDS), que pagaria ao investidor caso o CDO entrasse em *default*. Para o investidor, isso foi suficiente para tornar os CDOs um investimento perfeito. Para os bancos de investimento, eles ganhavam dinheiro muito rapidamente vendendo os CDOs e depois novamente cobrando pelos CDSs. Os lucros eram enormes, assim como os incentivos para gerentes e diretores executivos comercializarem esses produtos aos seus clientes. Havia apenas um pequeno problema. Os CDOs eram muito menos seguros do que as pessoas acreditavam e os CDSs não estavam adequadamente cobertos financeiramente. Se os CDOs entrassem em *default* em massa, tornando-se inadimplentes, os bancos de investimento que haviam vendido os CDSs ficariam responsáveis por cobrir centenas de bilhões de dólares. Isso foi exatamente o que aconteceu.

A CRISE ATINGE OS BANCOS DE INVESTIMENTO

O Bear Stearns foi a primeira vítima de Wall Street na crise das hipotecas. Quando a bolha imobiliária estourou, o valor dos CDOs passou a ser questionado. O Bear tinha comercializado fortemente os CDOs e também havia investido neles. Em face das pesadas perdas financeiras, o balanço patrimonial do Bear Stearns ficou deficitário. Se eles vendessem seus ativos, o valor da empresa despencaria. Logo, outros bancos de investimento se recusaram a emprestar ao Bear, e o banco ficou insolvente. O presidente do Federal Reserve de Nova York, Tim Geithner, orquestrou um resgate do Bear Stearns emprestando dinheiro ao gigante financeiro J. P. Morgan Chase com o acerto de que o banco utilizaria os recursos para comprar o Bear Stearns com um grande desconto. Esperava-se que isso evitasse um pânico generalizado, mas aconteceu exatamente o oposto. Logo o Lehman Brothers foi para as cordas, mas dessa vez ninguém veio salvar a empresa. O pânico se espalhou.

O dinheiro fala mais alto

Risco moral

Um risco moral é criado quando a certeza ou expectativa de um resgate pelo governo incentiva o comportamento de assumir riscos. Os economistas e as autoridades devem pensar no risco moral ao tomar decisões. Não fazer isso incentiva mais riscos. Ignorar o risco moral é um risco moral.

Quando os CDOs ficaram inadimplentes, os investidores exerceram seus CDSs, que o gigante dos seguros, AIG, havia comercializado. A seguradora AIG enfrentou perdas de centenas de bilhões de dólares. A AIG era uma peça fundamental no sistema financeiro dos Estados Unidos e muitos em Wall Street e em Washington DC acreditavam que a AIG era "grande demais para falir". Se a AIG falisse, todo o sistema financeiro poderia ter entrado em colapso. O governo norte-americano e o Federal Reserve tomaram a atitude sem precedentes de resgatar a AIG a fim de evitar mais uma catástrofe.

Quando a crise das hipotecas se espalhou, o valor dos CDOs em que as instituições financeiras haviam investido pesadamente entrou em colapso. Com a falência de dois dos maiores bancos de investimento do país, e o resgate da AIG, as instituições financeiras pararam de emprestar entre si. Os bancos temiam os balanços patrimoniais uns dos outros. Quando param de emprestar entre si, os bancos param completamente de emprestar. Logo as empresas não vinculadas ao setor imobiliário e bancário não conseguiam tomar emprestado e o mercado de notas promissórias congelou. Os negócios pararam. A Grande Recessão começou.

POLÍTICA FISCAL EM XEQUE
Você precisará de um barco maior

O colapso do mercado de títulos hipotecários significou que trilhões de dólares em ativos financeiros perderam seu valor. Essa recessão econômica foi uma combinação mortal de uma crise financeira agravada por uma crise econômica mais ampla. Diante da recessão econômica, a prescrição keynesiana é de política monetária e fiscal expansionista para estimular a economia. O problema era que os instrumentos da política que normalmente são eficazes estavam gravemente prejudicados.

O FED

A prescrição habitual para uma recessão é o Banco Central comprar letras do Tesouro dos *dealers* primários de títulos e, então, permitir que o processo de criação de dinheiro opere sua mágica. Quando os bancos não estão dispostos a emprestar, essa prescrição não funciona. Em vez de criar dinheiro, o sistema financeiro o estava destruindo. Como muitas das falências no sistema financeiro ocorriam fora do mercado bancário tradicional, o Fed foi fortemente pressionado para colocar o dinheiro onde ele precisava estar.

O Fed foi criado por lei para trabalhar com os bancos. As ferramentas que tem à disposição visam aos bancos, mas essa crise financeira foi diferente. O sistema bancário paralelo que havia sido criado pela desregulamentação estava fora do escopo do Fed. Para que o Banco Central pudesse fazer as coisas funcionarem novamente, o sistema paralelo tinha que ser transformado em bancos tradicionais mais regulamentados. Foi exatamente o que fizeram. O Goldman Sachs e o Morgan Stanley, os últimos dos grandes bancos de investimento, mudaram seu *status* nos termos da regulamentação do SEC[6] e foram submetidos ao Fed.

Flexibilização quantitativa

Uma visita ao site do Conselho de Governadores do Federal Reserve ao longo da crise financeira indicava que algo interessante

---

[6] Órgão equivalente à Comissão de Valores Mobiliários (CVM) no Brasil. (N.T.)

estava acontecendo. Quase mensalmente, o Banco Central inventava novas ferramentas de política monetária. A primeira foi o Instrumento de Leilão a Termo (Term Auction Facility – TAF), que permitia aos bancos solicitar emprestado do Fed sem a desvantagem do risco associado ao fato de contrair empréstimos no balcão de desconto do Banco Central. Logo o Fed criaria outros instrumentos de empréstimos para injetar dinheiro no sistema. O banco começou a comprar títulos hipotecários e dívidas de agências. Em última análise, o que o Fed fez foi criar mercados para ativos em troca de dinheiro, um processo chamado de flexibilização quantitativa (*quantitative easing*).

No final, a maioria dos instrumentos criados durante 2008 para deter o colapso financeiro expirou em fevereiro de 2010. O Federal Reserve não abandonou medidas tradicionais de políticas durante a recessão. O FOMC reduziu sua meta para a taxa de fundos federais para 0%. Isso é o máximo que o Fed consegue fazer em termos de política expansionista com operações de mercado aberto.

O governo fica inventivo

Enquanto o Banco Central se ocupava tentando simultaneamente recuperar um sistema bancário congelado e fazer com que a economia como um todo retornasse à normalidade, o governo reagia tomando medidas extraordinárias. O Tesouro sob o comando de Henry Paulson tentava corrigir a crise financeira imediata no sistema bancário e no mercado de títulos hipotecários. O Congresso e o presidente, primeiro Bush e depois Obama, planejaram uma resposta política maciça. O problema era que, quando estourou a crise, o governo já estava envolvido em uma expansão fiscal pesada. Os impostos estavam extremamente baixos e os gastos extremamente elevados. Os economistas questionavam quanto mais estímulos o governo poderia oferecer.

O Congresso aprovou o Programa de Alívio de Ativos Problemáticos (Troubled Asset Relief Program – TARP) em 2008 dando ao Tesouro a capacidade de recapitalizar os bancos que haviam sido duramente atingidos pelo colapso do mercado imobiliário e CDOs. Esse foi apenas o começo dos esforços do governo para estabilizar a economia. O governo também adquiriu o controle da fabricante de automóveis General Motors (que estava em dificuldades) por 50 bilhões de dólares para impedir que a empresa fechasse as portas.

Dinheiro pelo carro velho

Outro programa com o objetivo de estimular o consumo de bens duráveis foi o Car Allowance Rebate System (CARS), também conhecido como *"cash for clunkers"*.[7] Pelo programa, os compradores receberiam um abatimento das concessionárias ao trocar um veículo usado, com maior consumo de combustível, por um veículo novo, mais eficiente. A concessionária era então reembolsada pelo governo. De acordo com o governo, 680 mil carros foram vendidos no âmbito do programa, o que ajudou a impulsionar os gastos domésticos na economia.

Para estimular o investimento em habitação, o governo concedeu um substancial crédito fiscal de 8 mil dólares para os compradores de imóveis. Além disso, o seguro-desemprego foi estendido para milhões de norte-americanos sem trabalho. O maior de todos os programas do governo foi a Lei de Recuperação de 2009, que planejava gastar quase 790 bilhões de dólares para expandir a economia. Junto com o corte de impostos, duas guerras e taxas de juros de 0%, o estímulo foi bastante agressivo para os padrões históricos. A maioria dos economistas acredita que a resposta do governo e do Banco Central à crise evitou uma segunda Grande Depressão.

Teoria *versus* prática

As teorias afetam a maneira como os economistas e os formuladores de políticas contam a história sobre o que realmente está acontecendo. Essas narrativas da realidade têm o poder de afetar a realidade caso uma grande quantidade de pessoas acredite nelas. A história da expectativa de inflação gerar inflação é uma história poderosa e, se os formuladores de políticas não a levarem em conta, ela pode se tornar realidade.

Quando uma economia entra em recessão, as empresas reduzem a produção e rapidamente demitem os funcionários. Durante a recuperação econômica, a conclusão lógica é de que esse processo deveria ocorrer em sentido inverso, mas isso não é necessariamente o que acontece. À medida que a produção começa a se recuperar, as empresas geralmente descobrem que sua força de trabalho remanescente tornou-se muito mais produtiva. Como resultado, as empresas conseguem aumentar continuamente a produção sem contratar mais trabalhadores. Com a produção continuando a aumentar, as

---

7 "Dinheiro pelo carro velho", em tradução livre. (N.T.)

empresas elevam o número de horas que seus funcionários trabalham antes de contratar mais. Finalmente, depois de contar com o aumento da produtividade e com a elevação do número de horas de trabalho, se ainda houver demanda, as empresas começam a contratar. Infelizmente para os desempregados, esse processo pode demorar muito tempo. A recuperação sem emprego é a desgraça da vida do político. O PIB pode aumentar, mas o desemprego ainda pode permanecer alto por um tempo. Os desempregados votam e realmente não se importam com a explicação detalhada dada acima.

O Federal Reserve caminha sobre uma precária corda bamba quando se trata de inflação. Não adianta nada que tantos especialistas alertem sobre a inflação que poderá ocorrer. A expectativa da inflação é muitas vezes suficiente para provocar inflação. O Fed despejou centenas de bilhões em reservas para o sistema financeiro a fim de descongelar o fluxo de crédito. O perigo para a economia vem de duas formas. Em primeiro lugar, se começar a contrair a oferta monetária cedo demais, a economia pode cair novamente em uma recessão mais profunda. Em segundo lugar, se esperar tempo demais para contrair a oferta monetária, então a inflação pode se concretizar, e isso exigiria que o Fed reagisse enviando a economia de volta à recessão.

O MEIO AMBIENTE E A ECONOMIA
Ambientalistas, uni-vos!

A maioria dos norte-americanos acredita que a proteção do meio ambiente é um objetivo valioso para a nossa sociedade. A forma como o governo e os ambientalistas têm se esforçado para alcançar esse objetivo ignora, em grande parte, as realidades da economia. A Lei das Espécies Ameaçadas, a Lei do Ar Limpo e a Lei da Água Limpa têm objetivos louváveis. Os críticos da legislação não são a favor da extinção, da poluição e da água suja. Em sua maioria, as críticas são em relação a como esses objetivos são alcançados e não aos objetivos em si. Os economistas oferecem uma perspectiva única sobre o meio ambiente e a inclusão de princípios econômicos poderia ser usada para realizar o objetivo de proteção ambiental de forma mais eficiente e com maior utilidade.

O CRESCIMENTO É SUSTENTÁVEL?

Um dos custos de uma economia em constante crescimento é a tensão que ela coloca sobre o meio ambiente. À medida que cresce a população, mais recursos são necessários para mantê-la. Esse crescimento não precisa necessariamente levar a um colapso ambiental. Na verdade, os mercados podem ser utilizados para alterar os incentivos dos indivíduos e das empresas quando eles se deparam com situações que envolvem o seu uso dos recursos.

A demanda por recursos tende a aumentar o preço desses recursos. À medida que o preço aumenta, indivíduos e empresas que utilizam esses recursos enfrentam um incentivo para usar menos no caso de não renováveis. No caso dos recursos renováveis, os empresários ganham um incentivo para aumentar sua produção. Esses incentivos são eficazes e eficientes.

Recursos renováveis

Considere o caso da madeira, um recurso renovável. O aumento da demanda por madeira levou a um aumento no seu preço. Esse aumento de preços faz com que os madeireiros expandam a sua produção para atender à demanda. O efeito líquido do aumento de demanda por madeira é o aumento da demanda por florestas. O aumento da demanda por florestas torna a terra mais desejável e leva a mais terra sendo colocada na produção florestal. Alguns argumentariam que, se você cortar as árvores, no final não sobrará nenhuma. No entanto, essa afirmação ignora os incentivos econômicos. Haveria mais milho ou menos milho se as pessoas parassem de comê-lo? Caso tenha respondido menos, você está correto. Se as pessoas param de comer milho, os agricultores não têm incentivos para plantá-lo. Da mesma forma, se as pessoas comem mais milho, então os agricultores plantam mais. O mesmo vale para as árvores. No entanto, as árvores demoram mais tempo para crescer e, consequentemente, têm preços muito mais elevados do que o milho.

Recursos não renováveis

No caso de não renováveis, como carvão, petróleo e gás natural, os mercados oferecem incentivos para produtores e consumidores. À medida que a demanda cresce para esses fatores de produção, o preço aumenta. Isso provoca preços e custos de produção mais elevados para as empresas que utilizam os recursos. Esses custos mais elevados proporcionam um incentivo às empresas para buscar maior eficiência na utilização do recurso. Por exemplo, se uma empresa usa gás natural na produção e os preços do gás aumentam, a empresa tem um forte incentivo para usar seu gás natural da maneira mais eficiente possível. As empresas que desperdiçam e que são ineficientes encontrarão dificuldades para competir contra empresas que utilizam os recursos de forma mais eficiente. Eventualmente, elas podem acabar fechando as portas.

Eficiência econômica

A eficiência econômica ocorre quando os recursos são utilizados com menos desperdício. A eficiência deve ser um objetivo não apenas dos economistas, mas de qualquer pessoa que se preocupa com o planeta. Menos desperdício significa que são necessários menos recursos para a produção.

O papel dos incentivos

A proteção de espécies ameaçadas de extinção é importante para muitas pessoas. Existe uma pressão política considerável para os governos promulgarem legislações que protejam as espécies. Uma forma de proteção das espécies ameaçadas de extinção que é defendida pelos economistas é matá-las para servir de comida.

Por que a população de bisões norte-americanos foi quase extinta, enquanto a população de vacas aumentou exponencialmente? Seria porque as vacas comeram os bisões? Não, o motivo para o bisão enfrentar a extinção, e as vacas não, é que elas são propriedade privada, enquanto os bisões não são. A população de bisões caiu de milhões para pouco mais de mil em 1889. Hoje, felizmente, os bisões norte-americanos estão de volta da beira da extinção porque se tornaram propriedade privada. Atualmente, existem mais de 500 mil bisões, e seu número cresce à medida que se desenvolve um mercado para sua carne.

O DIREITO DE POLUIR

A poluição é um mal econômico. Todos os processos produtivos geram alguma forma de poluição, de modo que poluição zero não é um objetivo razoável. Qual é a quantidade certa de poluição? A quantidade certa, ou quantidade socialmente ideal, de poluição ocorre quando o benefício social marginal é igual ao custo social marginal de produção. Isso significa que as empresas devem produzir até o ponto em que o benefício extra da produção para a sociedade é igual ao custo extra, incluindo o custo da poluição para a sociedade. Por causa da tragédia dos comuns,[8] as empresas muitas vezes não têm um incentivo para produzir uma quantidade que seja a socialmente ideal. As empresas não pagam o custo da poluição e por isso produzem em demasia e com muita poluição. Para que as empresas produzam a quantidade adequada de poluição, o custo da poluição deve entrar em sua decisão de produção. Os governos podem tributar ou vender licenças de poluição. Outra opção é que as pessoas afetadas que arcam com o custo da poluição negociem um pagamento por parte do poluidor.

---

[8] A tragédia dos comuns é uma teoria econômica segundo a qual os indivíduos, agindo independentemente e em conformidade com o próprio interesse, entram em conflito com os interesses do grupo no uso de recursos finitos. (N.T.)

Impostos por unidade

Um imposto por unidade de produção de um bem ou serviço poderia ser utilizado para reduzir a quantidade de poluição produzida pela empresa. O imposto sobre o produtor aumenta o custo de produção, o que reduz sua disposição e capacidade de produzir. O resultado no mercado é o preço do bem ou serviço aumentar e a quantidade diminuir. A consequência é menos produção e, portanto, menos poluição. O problema com o imposto por unidade é que, muito provavelmente, ele seria cobrado de todos os produtores em um setor, o que significa que produtores mais limpos e mais eficientes seriam tributados da mesma forma que os poluidores mais pesados. O imposto reduz a poluição no setor, mas não aumenta o incentivo para os produtores individuais limparem o seu processo. Além disso, se aumentar a demanda por um bem ou serviço, então a quantidade de poluição também aumentaria. O objetivo final é reduzir a poluição e não apenas punir os produtores.

Licenças de poluição

Outra opção é criar um mercado para licenças de poluição. Sob um regime de licenciamento, o governo estabelece um limite para a quantidade de determinado poluente que será permitida na atmosfera naquele ano. Por exemplo, suponha que no ano passado 7 milhões de toneladas de gás óxido de nitrogênio foram lançadas na atmosfera e que o governo quer reduzir esse número para 6 milhões de toneladas. O governo destinaria a esse setor industrial o número de licenças necessárias para atingir esse objetivo. Se cada licença permitir uma tonelada de emissões, então o governo forneceria 6 milhões de licenças às empresas. As empresas seriam obrigadas a entregar uma licença para cada tonelada de poluente produzido. Nesse sistema, as empresas e até mesmo os indivíduos poderiam comprar e vender as licenças em uma espécie de mercado de câmbio. As empresas relativamente limpas poderiam vender suas licenças não utilizadas para empresas que são poluidores mais pesados. Os indivíduos também poderiam comprar licenças e efetivamente manter determinada quantidade de poluentes fora da atmosfera. Esse regime incentiva as empresas a se tornarem mais eficientes e simultaneamente reduz a poluição. Ao contrário dos impostos sobre a poluição, essa solução recompensa as empresas por reduzir a poluição, em vez de punir igualmente todas as empresas de um setor.

Bolsa do clima

Bolsas do clima existem no mundo todo para negociar certificados de emissões de vários poluentes industriais. As bolsas do clima atuam de forma muito parecida com as bolsas de valores, permitindo às empresas comprar e vender certificados. No futuro, estudantes interessados no meio ambiente e na economia podem se tornar corretores do clima.

O teorema de Coase

Uma última opção para as empresas que poluem ou prejudicam o meio ambiente é pagar diretamente àqueles que são prejudicados pela poluição. Essa opção é chamada de teorema de Coase. Ronald Coase, economista britânico, sugeriu que seria possível alcançar um resultado eficiente se os poluidores e aqueles que arcam com o custo negociassem diretamente um pagamento aceitável para ambas as partes. Alguns pressupostos do teorema de Coase são de que não haja custos de negociação para qualquer uma das partes, que os direitos de propriedade sejam claramente definidos e que o número de pessoas envolvidas seja pequeno.

O Nature Conservancy e o Sierra Club utilizam essa estratégia para preservar áreas ambientalmente sensíveis. Muitas pessoas preocupadas com o meio ambiente têm aplicado essa estratégia na preservação da floresta tropical. É muito mais fácil salvar uma floresta que você possui do que salvar uma floresta que todo mundo possui. Enfim, os princípios da economia podem ser utilizados para atingir de forma eficaz e eficiente os objetivos ambientais.